SEED-Netが紡ぐ アセアンと日本の連帯

学術ネットワークが織りなす工学系高等教育の基盤

小西 伸幸・梅宮 直樹

KONISHI Nobuyuki・UMEMIYA Naoki

はしがき

1993年に世界銀行が公表したレポート「東アジアの奇跡――経済成長と政府の役割（EAST ASIAN MIRACLE: Economic Growth and Public Policy）」によれば、東アジア諸国の成功は決して奇跡によるものではない。東北アジアと東南アジアを合わせた東アジア諸国が著しい経済成長を遂げたのは、人材育成を含め、成長に必要な基礎的条件を整備したからである。しかし、アセアン諸国は1997年のアジア通貨危機で大きな打撃を受けることとなった。その経験から、産業を労働集約型から技術集約型にシフトして自国を自らの手で社会的、経済的に発展させ続けることが重要だという認識が広がり、そのためには高度な知識や技術を持った人材の育成が必要不可欠であると考えられた。

ところが、実践的な知識と技術を習得するための教育体制に難があり、人材育成を十分に行うことができていなかった。その結果、より魅力的な教育環境を求めて優秀な人材が他国に進学し、そのまま就職する等、頭脳の海外流出も生じていた。そういう全般的な状況の下、日本は、すでに複数のアセアンの国で大学の教育や研究能力向上のための協力事業を行い、成果を上げていた。その成果を踏まえ、日本は1997年に「橋本イニシアティブ」を提起し、アセアン域内全体の発展を視野に入れた大学間ネットワーク構想「SEED-Net（アセアン工学系高等教育ネットワーク）」の実現に向けて動きだした。

本書は、工学系高等教育の代表例であるSEED-Netプロジェクトの協力の軌跡をまとめたものである。SEED-Netは、アセアン10カ国の工学系大学26校を対象に大学間ネットワークを構築し、メンバー大学教員の資格向上や大学院プログラムの改善等を通じて、各国の工学系高等教育機関の強化と工学系人材育成に取り組むプロジェクトである。これまでの協力を通じて、修士、博士号を取得した教員延べ1,400名以上を輩出し、日本の大学、産業界との共同研究200件超を実現するという成功を収めた。本プロジェクトは、それまでに実施されていた二国間での協力事業と異なり、広域枠組みであるアセアンと日本との多国間ネットワークに基づく、ユニークな取り組みであった。

本書は、日本政府による協力方針が示された1997年から最終フェーズ終了予定の2023年まで、25年間にわたる一連のプロセスに直接関わっている著者2名の視点から、プロジェクトを取り巻く人々の様子が細やかに描かれており、臨場感溢れる物語となっている。本書のあとがきで「数えきれない多くの人たちの人生の時間の中にSEED-Netが存在する」と著者が語っているように、SEED-Netはそれに携わった人々の人生を形作ってきた、血の通った取り組みである。その長年に亘る活動から得た学びや気づき、人々の思いを多くの人に、特にこれから国際協力に携わる若者たちに是非伝えたいとの思いから本書の刊行に至った。

公式な報告書には残されない、次なる「奇跡」に向けたアセアンと日本の協働の日々を描いた物語。本書を通じてそれを紹介することにより、魅力溢れる開発協力の世界について読者の皆様に知っていただくきっかけになればと思う。

本書は、JICA緒方研究所の「プロジェクト・ヒストリー」シリーズの第33巻である。この「プロジェクト・ヒストリー」シリーズは、JICAが協力したプロジェクトの背景や経緯を、当時の関係者の視点から個別具体的な事実を丁寧に追いながら、大局的な観点も失わないように再認識することを狙いとして刊行されている。そこには、JICA報告書には含まれていない、著者からの様々なメッセージが込められている。教育をテーマとしたものは、ニジェール（第3巻）、中米（第16巻）、パキスタン（第27巻）、エジプト（第30巻）に続き5作目だが、多国間の工学系高等教育ネットワークに焦点を当てたプロジェクト・ヒストリーは本書が初めてである。益々の広がりを見せている本シリーズ、是非、一人でも多くの方に手に取ってご一読いただければ幸いである。

JICA緒方貞子平和開発研究所
研究所長　高原　明生

目次

プロローグ

アセアン加盟国

ミャンマー
ベトナム
ラオス
タイ
カンボジア
フィリピン
ブルネイ
マレーシア
マレーシア
シンガポール
インドネシア

はじめに

本書は、1997年7月のタイ通貨バーツの暴落に端を発したアジア経済危機への日本の支援策の1つとして実施されたJICAの技術協力プロジェクト、「アセアン工学系高等教育ネットワーク」（AUN/SEED-Net：ASEAN University Network / Southeast Asia Engineering Education Development Network）の取り組みを紹介するものである。1997年12月の日ASEAN首脳会議で、橋本龍太郎首相（当時）により協力方針が発表されてから3年半をかけてプロジェクトを形成。2001年4月の設立式典から2年間の準備期間を経て、2003年3月から本格的に活動を開始した。準備期間を含めると合計22年間に及ぶロングスパンの活動となった。

プロジェクト期間を通じて、アセアンの大学教員の教育・研究能力向上を通じた大学としての能力向上、アジアという枠組みでのアセアンと日本の学生の交流促進と国際性の涵養、アセアンおよび日本の大学の国際化が促進された。そして何よりも、人と人との信頼関係の構築を通じてアセアンのメンバー大学同士、アセアンの大学と日本の大学の連帯が形成された。そこには関係者の並々ならぬ努力、そして心を熱くするヒューマンストーリーがあった。

本書は、時々のポジションは異なるものの、長年このプロジェクトの形成・実施に関与した筆者2名が、事業成果の一端を紹介するものである。それぞれが、プロジェクトに関わった時期や業務の濃淡により分担して初原稿を起稿したうえで、互いに加除補正し合った。

まず、プロジェクトを開始することになった背景とこのユニークなプロジェクトの枠組みを、第1章でごく簡単に記述した。日本政府による協力方針の表明からプロジェクトの形成に3年半を要し、またその後もJICAの手続きによる正式な技術協力プロジェクトとして発足するまで2年を要したこと。この部分は主に小西が起稿した。

次に、プロジェクトの成果やインパクトを第2章から第4章で紹介した。第

2章と第3章はアセアン側における成果やインパクトであり、プロジェクト成果の中核ともいえるもので、主として梅宮が起稿した。プロジェクトは数多くの成果を生み出したが、そのごく一部を代表例として取り上げげた。

プロジェクトは、一義的にはアセアン側の人材育成を通じた大学の能力向上への支援であったが、その枠組みと成果は、支援する側の日本の大学、日本の学生の教育にも活用することができた。こうしたインパクトの一例を第4章で紹介しているが、ここは小西が起稿した。

最後の第5章で、この22年に及ぶプロジェクトが何ゆえに成功したのか、その要因と今後の展開への期待を両名で共同起稿した。

SEED-Netは、日本政府による協力方針が示された1997年から、最終フェーズが終了する2022年度までの長期間にわたる事業であり、またアセアンという東南アジアの広域枠組みと日本とのネットワークによるプロジェクトというユニークな取り組みである。本編では、読み物としてのストーリー性を重視したため、SEED-Netのフレームワーク形成時期のプロセスや事業実施上の工夫詳細などについては、巻末に「資料・裏話」として付記した。ご参照いただければ、より深く理解されると考える。

【執筆者のSEED-Netとの関わり】

1　小西伸幸

- 1997年10月～2001年1月：JICAタイ事務所の担当者としてSEED-Netの基本コンセプトの策定に参画
- 2001年3月～2003年5月：専門家（総括業務調整員）としてSEED-Net事務局（タイ・チュラロンコン大学）に勤務し、SEED-Netの事業枠組みの形成とフェーズ1を含む初期段階の事業実施に参画
- 2003年5月～2005年7月：JICA本部でアセアンに対する協力を所掌する部の担当者としてSEED-Netの実施を支援

・2009年10月～2012年1月：JICA本部でSEED-Netを所掌する部の課長としてフェーズ2の事業監理とフェーズ3形成準備を監督
・2012年3月～2014年9月：専門家（副チーフアドバイザー）としてSEED-Net事務局（タイ・チュラロンコン大学）に勤務し、フェーズ2の事業実施とフェーズ3の形成・実施を現場で監督
・2014年10月～2016年9月：JICA本部でアセアンに対する協力を所掌する部の課長としてSEED-Netの実施支援を監督
・2019年6月～2022年3月：JICA本部でSEED-Netを所掌する部の計画次長（部長代理の役割）としてフェーズ4の実施を監督

2　梅宮直樹

・2005年8月～2009年6月：専門家（総括業務調整員）としてSEED-Net事務局（タイ・チュラロンコン大学）に勤務し、SEED-Netのフェーズ1の事業実施とフェーズ2形成準備・実施に参画
・2010年9月～2013年7月：JICA本部のSEED-Netを所掌する部の担当者としてフェーズ2の事業監理とフェーズ3形成準備に参画
・2016年2月～2019年6月：JICA本部のSEED-Netを所掌する部の課長としてフェーズ3の事業監理とフェーズ4形成準備を監督
・2019年7月～2022年3月：JICA本部のSEED-Netを所掌する部の担当次長としてフェーズ4実施とその後のあり方検討を監督

露と消えたタイ事務所担当者のアイデア

1997年7月、タイ通貨バーツの暴落に端を発したアジア経済危機。その混乱を引きずったままの同年12月のある日、JICAタイ事務所の会議室に6名の業務担当者が集められた。そして、新規事業の形成を取りまとめる業務企画班の班長から、「アジア経済危機に対処する支援策のアイデアを至急提出するように」との指示が下った。

教育分野を担当する小西所員は戸惑った。タイ事務所に着任して2カ月しか経っておらず、まだ自分が担当する分野の状況を十分把握しきれていなかったからだ。ただタイ着任後、タイの政府や大学の関係者との仕事上のやりとり、日々の生活、そして現地の報道を通じて、タイの社会・経済状況、タイの人々の生活が日に日に悪くなっていることは如実に感じていた。

当時、JICAは、東南アジアにおいてタイのほかインドネシア、フィリピンなどそれぞれの国で、大学支援のためのプロジェクトを実施していた。主な分野は工学、農学、医学など。いずれも長期的視点に立ち、各国の社会・経済の発展を担う人材の育成・輩出のための高等教育機関、すなわち大学の教育・研究能力を高めるための協力事業を行っていた。とりわけ工学分野は、日本自身が国内産業界のニーズに応える形で、1950年代後半から1960年代半ばにかけて複数回に分けて高等教育における理工学系学生増加政策を打ち出し、多くの理工系人材を世に輩出して高度経済成長を支えた経験を有している。この経験を踏まえ、途上国において製造業の発展のため、工学系高等教育分野の協力を多く実施してきていた。

何かアイデアを出さないといけない。でも思い浮かばない。知恵を絞ってようやく書いた苦肉の企画案が、「先発アセアン加盟国間における域内の分野別（工学、農学、医学）の大学の拠点化と学術ネットワークの構築」であった。例えば、工学分野はインドネシアを拠点として他のアセアン加盟国の大学とネットワークを結んで学術活動を実施し、教育・研究能力の向上を支援するというものである。医療分野はタイを拠点に、農業分野はフィリピンを拠点に、アセアン加盟国を面的にカバーする同様の体制によりJICA事業を実施するというものであった。ベトナムやミャンマー、ラオスといった後発アセアン加盟国が入っていないのは、当時、これらの国では高等教育分野の協力ニーズは低く、JICAの高等教育分野の協力は先発アセアン加盟国のみで行われていたからである。後発アセアン加盟国には十分な高等教育機関すら存在していない国もあった。

残念ながら、小西の稚拙なアイデアは採択されなかったが、後日、違うところで類似のアイデアに出会うことになる。

第 1 章

SEED-Net プロジェクトの創設

1997年12月にマレーシア・クアラルンプールで開催された日ASEAN首脳会議。この日本とアセアンの首脳会議は、奇しくも福田赳夫総理（当時）が1977年にフィリピン・マニラで東南アジアに寄り添った日本の外交方針、すなわち「福田ドクトリン」を発表した時からちょうど20年目の節目にあたる首脳会議であった。席上、経済危機と社会の混乱に陥り、大きく傷ついたアセアン諸国に対して、橋本首相（当時）が発表した対アセアン支援策は「橋本イニシアティブ」と呼ばれた。

「橋本イニシアティブ」は、人材育成や産業協力の強化、日本とアセアンの首脳間の対話や政治・安保対話の強化、そして国際社会が直面する諸課題に共同して取り組むというものであった。特に、アセアンの社会・経済の発展の鍵となる人材育成については、5年間で2万人の研修を実施する「総合人材育成プログラム」および「高等教育強化のための協力」が表明された。これら構想を具現化し効果ある事業とするべく、外務省をはじめとする関係省庁、JICAその他政府機関が協働して情報収集にあたり、事業の形成に奔走することとなった。当時取り組んだ事業は数多くあったが、その一つが「アセアン工学系高等教育ネットワーク（AUN/SEED-Net）」である。日本とアセアンの数多くの関係者が参画し、今や22年間に及ぶ壮大な事業となったが、アジア経済危機直後の東南アジア、そして日本にとって、このようなアジア地域全体に広がる長期事業になることは想像だにしなかった。

本章では、「橋本イニシアティブ」が打ち出された1990年代後半の東南アジアの状況を概観したうえで、試行錯誤の過程を経て形成されたプロジェクトの枠組みを紹介する。

1. アジア経済危機とアセアン諸国

製造技術力を持たなかったアセアン諸国

1997年7月タイから始まった通貨危機は、瞬く間にインドネシアやマレーシア、フィリピン、そして韓国などアジア圏に波及した。

1980年代後半から90年代半ばにかけて、タイ、インドネシア、マレーシア、フィリピンなど東南アジアの先発アセアン加盟国は、輸出志向型の工業化を推進し、「世界の成長センター」と呼ばれていたが、技術力は必ずしも高くなかった。工業製品の製造におけるグローバルサプライチェーンの中で、各国に所在するメーカーは、先進工業国から製造・工作機械と中間財・部品を輸入して組み立て、工業製品を輸出するという「組立工場」としての工程を担う存在であった。製造・工作機械や中間財・部品を自ら製造する技術力を有していなかったのである。

1986年のプラザ合意によって急激な円高となり、日本は従来の輸出主導の産業構造の中で国際競争力を低下させていた。日本の工業製品メーカーの多くは、安価で豊富な労働力を有するタイをはじめとするこうした国々に生産拠点をシフトさせていた。

また、タイ自身、こうした工業先進国や金融先進国などからの投資を呼び込むため、国際的な資本取引において非居住者向けの有利な制度であるオフショア市場を設定したり、自国通貨バーツの為替レートを米ドルと連動させる米ドルペッグ制を採り、外資の積極的な導入を図っていた。こうした積極的な外資導入政策のもと、タイの経済成長率は年率8 ～ 9%という高成長を記録していた。

ただ90年代半ばになると、多くの外国資本が流入する中で、製造・工作機械や中間財・部品の輸入が大幅に進み、輸入超過の状況、経常収支は赤字に転じるようになった。加えて、1995年に米国が採った「強い米ドル政策」により米ドル高が進行。米ドルとペッグ制を採用していたタイバーツもそれにつられて実体以上のバーツ高となり、輸入が大幅に増加していたタイ産業界にとって大きな打撃となった。

こうした状況に目を付けた外国のヘッジファンドは、1997年5月頃から複数回にわたりバーツの空売りを仕掛けた。こうした状況にタイ政府は耐え切れず、同年7月初めにはタイバーツを変動相場制に移行せざるを得なくなった。

当時、タイ政府による積極的な外資誘致策は、多くの外国資本を国内に呼び込んだが、そうした資本は短期投資が多く、またその多くは不動産などの投機的な投資に回されていた。タイ政府による為替介入により実体を超えて下支えされていたタイバーツは、変動相場制に移行すると、為替市場でみるみるとその価値を低下させていった。こうした状況と相まって、外国の短期資本は瞬く間にタイから引き上げられ、タイの経済は大混乱に陥った。そして、類似の政策を採っていた域内他国も同じ状況に陥ることとなり、経済的な大混乱は一国に留まらずアジア全域に波及し、アジア経済危機となった。

優秀な人材は欧米の大学へ流出

アジア経済危機で大きな痛手を被ったアセアンの国々、特にタイやマレーシア、インドネシアなどの国は、その経済の立て直しの一策として産業の活性化とその人材育成に関心を寄せた。それまでこれらの国においては、先進工業国の大企業が安い賃金による労働集約型産業を展開していたが、経済の崩壊により改めて資金も技術も外国頼りであったことを認識した。そのうえで、自国の社会・経済を自らの手で持続的に発展させていくための方途の1つは、労働集約型産業から技術集約型産業にシフトしていくことであり、それを可能とする優秀な中堅技術者を含む、より高度な知識・技術を持つ高度人材の育成が必要であることに気づいた。

しかしながら各国の高等教育機関は、産業界が求める質と量の両面において優秀な技術者を輩出しきれていなかった。その主な原因は、学生が社会で必要とする実践的知識と技術を身につけるための教育体制が十分でなかった点にあった。具体的には、教員の質の問題、カリキュラムやシラバスの質の問題があり、ほかにも実験や研究など実学を行う施設・機材の不足（講義中心の教育）、教員の能力不足（実践的知識や最新技術の知識の不足）、政府・大学の予算の不足（研究費、教員の給料を含む）、理工系学生数の不足（学生の文系への偏重）などの課題を抱えていた。こうした点は各国政府も認識しており、各国政府の要請を受けてJICAはタイやインドネシアなどにおいて、国内のトップレベルの大学を対象に工学教育の質を高めるべく高等教育支援事業を実施していた。しかし、それらは必ずしも十分ではなかったのである。当時、シンガポールを除けば、アセアン各国の高等教育の質はあまり高いものではなかった。そのため、高校を卒業した優秀な学生は欧米など先進国の大学、大学院に進学し、留学先で学位を取得することが主流であった。特に植民地時代の旧宗主国の大学には、奨学金など優秀な学生にとって進学に魅力的な条件があった。留学先の国で就労の機会を得て、母国に戻らない者もいた。一方で、自国内の大学に進学するのは二流と見なされる風潮もあった。このように優秀な人材を自国、東南アジア地域に留めておくことができず、欧米への頭脳流出も域内各国の高等教育の質の向上、産業界の技術の向上を阻害する遠因となっていた。

さらに、後発アセアン加盟国においては、そもそも十分な産業がなく、国によっては大学の整備自体が不十分なところもあった。カンボジアやベトナム、ミャンマーなどでは、そもそも高等教育を受けても就職すべき産業が発展しておらず、むしろ職業訓練校の整備が求められていた。ラオスにいたっては国内初の総合大学が創設されたのが1996年であり、これらの国では産業界と高等教育の双方において、国を高度に発展させる状況になかったのが現実であった。

2. SEED-Netプロジェクトの概要

多国間ネットワーク型プロジェクト

JICAは基本的には、日本政府と1つの途上国政府との間で締結される二国間の条約などに基づき開発協力事業を実施する団体で、そのオペレーション体制は、日本と1つの相手国の二国間での活動を実施する仕組みで成り立っている。なかでも技術協力プロジェクトは、途上国内にプロジェクトオフィスを設置し、数年間活動する。数名の日本人専門家が駐在して途上国側関係者に技術指導を実施し、途上国側関係者を日本での研修に派遣したり、技術指導に必要な資機材を供与するパッケージ型協力事業である。

SEED-NetもJICAの技術協力プロジェクトである。しかし、相手国は一国ではなく、アセアンに加盟する10カ国と日本が参画する多国間のネットワーク型事業となっている。何ゆえだろうか。

まず、日本政府の方針発表の場が日ASEAN首脳会議であったように、アセアンに加盟するすべての国への協力を実施することが求められた。このため、複数の国に対する協力を同時に実施することが必要であった。また、各国に対して個別に技術協力プロジェクトを実施するほど十分な資金的余裕が日本にはなかった。アセアン域内の高等教育の中核機関として「ASEAN大学」の新設も検討されたが、施設建設や機材購入、大学経営のための費用、設置国の選定、大学経営自体の難しさなどの理由で見送られた。仮に「ASEAN大学」なるものを建設しても、タイ・バンコク郊外に、英語で工学分野の大学院レベルの教育・研究活動が行われているアジア工科大学（AIT）がすでに存在しており、その必要性を見出すことは難しかった。

対して、日本、JICAはいくつかのアセアンの国を対象に個別に各国内の大学の教育・研究能力向上のための協力を実施してきており、成果を上げていた。こうした大学を、アセアン域内全体をカバーするような協力形態にすることが考えられた。また、研究成果のレベルを上げるためには、自国内に留まらず国境を越えて他国の優秀な研究者と共同研究を実施し、その成果を国際学会にて発表し、国際学術ジャーナルに投稿することが期待されており、こうした研究活動の成果を教育内容に還元することも期待された。

当時、すでにインドネシア国内では、大学間で若手教員の「国内留学」支援や共同研究などの活動を行う、いわゆるネットワーク型のJICAプロジェクトが実施されており、この経験も活用された。

AUNのサブネットワークとしてのSEED-Net

日本側がこのアセアン域内の大学間ネットワーク構想を企画し検討を始めていた頃、すでにアセアンには「アセアン大学ネットワーク（AUN）」）なるものが存在していた。これは、アセアン各国の高等教育を所管する省庁の合意により1995年11月に発足したアセアン内の大学間ネットワークであり、各国を代表する大学間の交流を促進し、アセアン加盟国の高等教育分野の連帯と相互発展を目指すものであった。特にタイ政府が強くイニシアティブを取ったこともあり、事務局はバンコクに置かれていた。

1998年12月のある日、小西は東京からの調査団メンバーと共にタイ大学庁の会議室にいた。タイ大学庁長官と協議を行うためで、日本側からは東京から派遣された調査団のほか、日本大使館の公使やJICAタイ事務所の所長などが出席。対するタイ側は、大学庁長官を筆頭に、政務官、事務次官などが顔を揃えた。

協議の中で、調査団から高等教育ネットワーク構想のコンセプトの説明がなされた。その後、おもむろに口を開いたタイ大学庁長官の言葉に、日本側関係者は動きが一瞬止まった。「新しい大学間ネットワークを作る必要はない。すでにアセアンにはAUNという大学間ネットワークが存在する。このAUNのサブネットワークに位置付けてはどうか」。SEED-NetがAUNのサブネットワークという位置付けになることが決定した瞬間であった。

各国トップレベルの工学系大学を選出

SEED-Netの設立に先立ち、メンバー大学の選出作業が始まった。

あらゆる事業においてステークホルダーの立ち位置と関与の仕方は重要である。それが事業実施の主体者であれば、事業の成否を左右しかねない。SEED-Netの創設において、メンバー大学の選出は最重要イベントの1つであった。

そのメンバー大学の選出基準だが、日本政府・JICAとAUN事務局との間で議論を繰り返した結果、次の3点が決まった。①各国の高等教育所管省庁が各国における工学分野でトップレベルの大学を2校（原則）選出する、②工学部を有する現在のAUNメンバー大学も推奨される、③工学部全体ではトップレベルでなくても、いくつかの学科がトップレベルで過去に日本の協力を得たことのある大学も推奨され得る、というものだ。そして、選出はAUN事務局からの要請に基づき、アセアン各国の高等教育所管省庁が決める、というものであった。

実際のメンバー大学の選出にあたり、特にタイやインドネシアでは日本大使館やJICAが相手国政府やAUN事務局と個別の協議・調整を行った。様々な調整を経た結果、2001年4月のSEED-Net設立時のメンバーはアセアン10カ国19大学となった。

なお、2013年に始まったフェーズ3からは、タイ、インドネシア、マレーシア、フィリピンにおいて合計7大学が新たにメンバー大学に加わり、アセアン10カ国26大学体制となった。

日本からは11大学の参加で始まる

JICAが途上国における高等教育分野の支援を1つのプロジェクトで行う際は、支援活動を行う日本側の大学を分野・領域ごとに指定することが多い。例えば、途上国のある大学の工学部に対して土木工学、機械工学、電気工学の支援を行う場合、土木工学は日本のA大学、機械工学はB大学、電気工学はC大学というように分担して支援を行う。

この分担はどうやって決まるのか。現在、独立行政法人であるJICAは、過去の類似事業の経験や本邦大学の状況(大学の意思、能力、人員体制、過去の途上国での活動経験など)、また協力の対象となる途上国の状況を踏まえて、協力を得る本邦の大学を決めている。これらの大学を「本邦支援大学」と呼称し、本邦支援大学は担当分野・領域ごとに途上国に専門家として教員を派遣したり、途上国の関係者を日本に研修員として受け入れたりしている。また、その本邦支援大学から代表となる教員を選出してもらい、「国内支援委員会」という枠組みを設置して、JICAはプ

図1 SEED-Netに参画しているアセアンと日本のメンバー大学(2013年3月のフェーズ3開始時点)

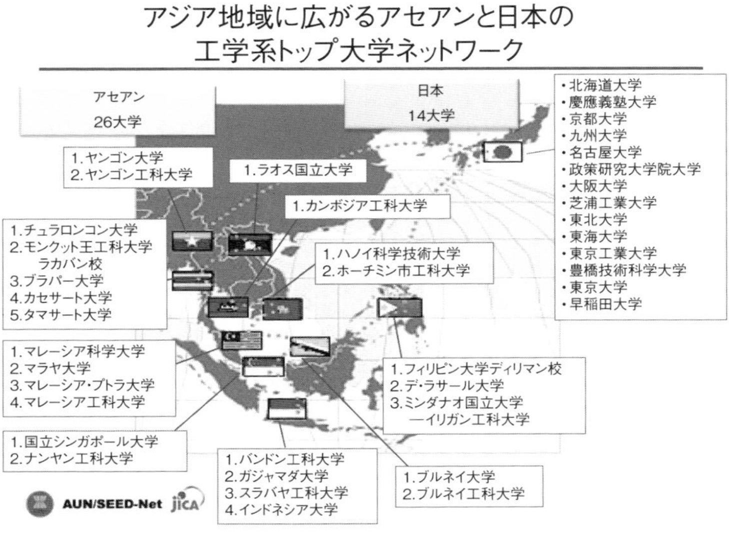

アジア地域に広がるアセアンと日本の
工学系トップ大学ネットワーク

アセアン
26大学

日本
14大学

・北海道大学
・慶應義塾大学
・京都大学
・九州大学
・名古屋大学
・政策研究大学院大学
・大阪大学
・芝浦工業大学
・東北大学
・東海大学
・東京工業大学
・豊橋技術科学大学
・東京大学
・早稲田大学

1.ヤンゴン大学
2.ヤンゴン工科大学

1.ラオス国立大学

1.カンボジア工科大学

1.チュラロンコン大学
2.モンクット王工科大学
ラカバン校
3.ブラパー大学
4.カセサート大学
5.タマサート大学

1.ハノイ科学技術大学
2.ホーチミン市工科大学

1.マレーシア科学大学
2.マラヤ大学
3.マレーシア・プトラ大学
4.マレーシア工科大学

1.フィリピン大学ディリマン校
2.デ・ラサール大学
3.ミンダナオ国立大学
—イリガン工科大学

1.国立シンガポール大学
2.ナンヤン工科大学

1.バンドン工科大学
2.ガジャマダ大学
3.スラバヤ工科大学
4.インドネシア大学

1.ブルネイ大学
2.ブルネイ工科大学

AUN/SEED-Net JICA

ロジェクトのマネジメントに関する助言を得ている。

SEED-Netにおいても同様の仕組みが創設された。特にSEED-Netは、大規模かつ広域でアセアン側から各国の工学分野でトップクラスの大学が参画しているということを念頭に、過去に途上国の大学支援の経験を有する大学、文部科学省として今後途上国支援の活動強化を期待している大学、そしてJICAの工学系高等教育事業の「アドバイザー」が所属している大学など11大学が選ばれた。

なお、アセアン側と同様、2013年に始まったフェーズ3からは、3大学が新たに加わり、14本邦支援大学体制となった。さらには2018年に始まったフェーズ4では、公式支援大学以外の大学のプロジェクト活動への部分的参加が認められている。

SEED-Netに参画しているアセアンと日本のメンバー大学は図１のとおりである。

SEED-Netの稼働

2001年4月23日、SEED-Netの基本合意文書である「協力枠組文書（Cooperative Framework）」の署名式が、タイ・チュラロンコン大学の格式ある講堂にて挙行された。ついにSEED-Net創設の時を迎えたのである。1997年12月の日ASEAN首脳会議での「橋本イニシアティブ」表明から3年半が経過していた。日本からは外務副大臣、タイからは大学庁長官、その他の国々からは教育省副大臣などが出席した。

席上、日本外務省の荒木副大臣（当時）は、アセアンの国際的位置付け、新時代のネットワーク、経済体制の強化の重要性を踏まえて、アセアン加盟国の工学系高等教育機関の連携強化と教育・研究能力向上のためにSEED-Netを実施すると、ネットワーク創設の目的を強調した。また、外部（日本）からのインプットだけでなく、そこに参加する人々（アセアン）の「自助努力」が重要であると述べたうえで、SEED-Netの「SEED」（種）

SEED-Net設立総会が開催されたチュラロンコン大学講堂外観

SEED-Net設立式典　　　　（SEED-Net事務局提供）

が新たに蒔かれ、未来の豊饒な果実を共に分かち合いたいと語った。

また、アセアン加盟国の代表でもあるタイの大学庁長官は、このSEED-Netはこれまでのアセアン側の自助努力を補完するものであり、アセアンの将来の発展に資するものである。またSEED-Netにより各国の高等教育機関が国際的競争力を身につけ、域内の学術交流が活発化することを願う

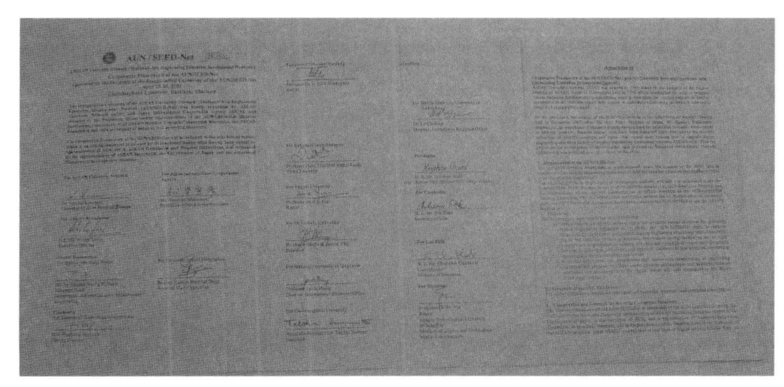

AUN/SEED-Net

関係大臣や副大臣、大学の学長など日本とアセアンの関係者34名が合意・署名したSEED-Net協力枠組文書

YOMISAT
アジア

ASEANと日本の知が連携

SEED-Net発足を伝える邦字紙とタイ字紙

と結んだ。

いみじくも両者が触れた言葉は「自助努力」であり、それは「オーナーシップ」とも言い換えることができよう。ここからアセアンと日本の壮大な共創事業が始まった。

中核事業は「学位取得支援プログラム」

教育・研究能力を高めるための支援活動は、校舎の建設や教育・研究用資機材の整備、カリキュラムやシラバスの策定、講義ノートの改訂、そして研究指導など様々ある。当時、JICAが各国で実施している高等教育分野のプロジェクトの中で行っていた主な活動としては、日本の大学教員による研究指導（日本の大学教員の現地派遣、現地教員の日本の大学への招へい、研究費の支援）、教育・研究用資機材の供与、学術学会への参加支援、学位取得のための大学院進学支援などがあった。

その中で「人」に焦点を当てた有効な活動が、若手教員の修士号や博士号といった高位学位取得支援である。特に大学の教員は、教員であるとともに研究者であるべきで、常に自らの研究活動を通じた知識の探求と、それに基づく学生指導を行うことが期待される。しかし当時、カンボジア、ラオス、ミャンマー、ベトナムといった後発アセアン諸国の大学では、各国のトップ大学であるSEED-Netのメンバー大学でさえも、十分な教育の機会がなく、所定の学位を有した教員は少なかった。例えば、2001年時点で、カンボジア工科大学の教員で修士号を有している教員は30%、博士号を有している教員は7.1%、ラオス国立大学で修士号を有している教員は13.4%、博士号を有している教員は2.9%に留まっていた。

また、そうした知の探究は、外部（他の教育・研究パートナー）との連携の中で培われることが多い。若手教員が高位学位取得のため他国の大学院に学生として留学し、指導教員の研究室に所属することは、留学先の指導教員の「研究室ファミリー」の一員になることを意味し、「同じ釜の飯を食べる関係」になる。大学院の共同研究活動を通じて築かれた指導教員との師弟関係（縦の関係）のみならず、先輩・後輩の学生との関係（横の関係）も構築できる。こうして醸成された信頼感と連帯感に基づく人的ネットワークは、学位取得後に母国の大学に戻って教員を続ける時の財産になるのだ。このような指導教員との師弟関係や研究室ファミリーの絆は、日本の大学の特徴でもある。

さらに、SEED-Netはアセアン加盟国同士の連帯を強化することも狙っている。こうした考えに基づき、SEED-Netでは複数の活動プログラムの中でも学位取得支援プログラムを最重要プログラムとした。

修士ではない、ターゲットは博士だ！

プロジェクト活動開始当初、アセアン域内の他大学への留学は、修士課程に限定されていたが、ある日、メンバー大学へのヒアリングの結果を踏まえ、SEED-NetのJICA専門家チームの1人であるアカデミックアドバイザーから、次の提言が出された。「もはや域内メンバー大学において修士号取得のみで完結する時代ではない。メンバー大学の教育・研究能力強化を狙うのならば、博士課程を主たるターゲットにすべきだ。つまり域内留学プログラムの対象に博士課程を入れるべきである」という強い意見であった。もともと修士課程はあくまでも博士課程の通過点でしかなく、さらには博士号取得さえ終着点ではなく通過点に過ぎない。良い大学教員であるためには良い研究者であるべきで、常に研究活動を継続することが期待されている。大学では博士課程を通じて本格的な研究活動を行い、その成果を世に発表する。メンバー大学の永続的な教育・研究能力を開発するためには、博士課程の充実をターゲットにしなければならない。

従来の修士号取得支援プログラムで、留学生を受け入れる役割のアセアン域内のホスト大学も、それを望んでいた。ただ、域内のホスト大学にすべてを委ねてしまうことには不安があった。国際水準の博士の輩出が必要だが、まだその態勢になかった。一方、日本がそこに協力する余地はあった。本邦大学教員にとって、アセアン域内のメンバー大学と高度な共同研究活動を行うことのインセンティブはある。当の留学生も、域内への留学に「日本」が関与することを期待していた。

そこで提案されたのが、「域内サンドイッチ博士号取得支援プログラム」

である。これはアセアン域内のホスト大学（留学生を受け入れるメンバー大学）の博士課程に入学し、ホスト大学の教員による研究指導のもと、本邦大学の教員も共同指導員となる。そして3年間の修学期間のうち、真ん中の数カ月から1年程度、本邦の共同指導員の大学にて研究指導を直接受けるというものであった。

1分野1ホスト大学体制の導入

さらに、アカデミックアドバイザーが提案したのが「1分野1ホスト大学制」であった。SEED-Netが活動を開始した当初、工学分野を土木工学、電気工学、機械工学など13分野に区分し、留学生を受け入れるホスト大学をそれぞれ1～4校設定する分野別ホスト大学体制を導入したが、これを掘り下げ、分野をさらに絞り込んで9分野にするとともに、各分野のホスト大学を1大学に限定するというものである。

アカデミックアドバイザーが各メンバー大学との交渉にあたった。メンバー大学の交渉において特筆する点は、ホスト大学を、先発アセアンの大学、しかも一定の学術成果を出している大学に限定した点である。これにより、メンバー大学の教育・研究能力強化とともに、拡充すべきホスト大学の大学院プログラムを絞り込み、限られた予算を集中投下することができた。

アセアンのメンバー大学の間での1分野1ホスト大学制化に向けた調整と並行して、本邦支援大学の支援体制の改革が始まった。「分野幹事大学制」の導入である。これはアセアン側で分野別に設定する1つのホスト大学に相対する形で、そのホスト大学の活動を支える本邦大学を「分野幹事大学」として任命する仕組みである。さらには分野幹事大学と協働し補佐する立場として「分野支援協力大学」なるポストも創設した。

SEED-Net事務局から本邦支援大学に対し意向調査を実施し、その回答を得て、分野幹事大学は各分野1つの本邦大学、分野支援協力大学には各分野1～3の本邦大学を割り振った。多くはアセアン側のホスト大学側とSEED-Netが始まる以前に、別の事業を通じて知己を得ていた本邦大学が、その人脈の中でパートナーを選んだ。この場合、すでにアセアン側と日本側でキーパーソン同士で人間関係が構築されており、この人脈を軸にさらにネットワークを広げていこうということである。

分野別事業実施体制の導入

2002年12月9日、「分野別支援体制構築ワークショップ」に参加するため、アセアン10カ国および日本から80名を超える教員やJICA関係者が、JICA東京国際センターに集結した。前夜から降り続いた雪により東京は一面銀世界であった。ワークショップは5日間の日程で行われ、分野別にアセアンのホスト大学と分野幹事大学・分野支援協力大学が中心になり、全国各地にあるそれぞれの大学キャンパス・研究室を訪問し、分野別事業計画策定のための協議を行った。

ワークショップの最終日には「決議文書」が発表され、出席者の賛同を得た。産業界に有為な人材を輩出するためにはメンバー大学の教員の研究能力向上が必要であり、そのためにはメンバー大学の博士課程の拡充が必要であることを確認した。そのための戦略的取り組みとして、サンドイッチ博士号取得支援プログラムまたは本邦博士号取得支援プログラムと域内修士号取得支援プログラムを連動させ、学位取得支援プログラムをSEED-Net事業の中核活動に据え、本邦教員の派遣や学術セミナー開催などの他の活動もこれら学位取得支援プログラムと関連付けて実施することにした。こうすることにより、各分野のホスト大学は、SEED-Netにおけるアセアン域内の当該分野のハブとして教育・研究の質を向上させつつ、本邦分野幹事大学や本邦分野支援大学、さらには他のメンバー大学との人的ネットワークの形成・強化することができるのだ。

さらには自らの若手教員を留学生として送り出すメンバー大学は、トップ10%の優秀な学生を選抜することを約束した。

ここにSEED-Netがその後20年にわたって輝かしい事業成果を生み出す分野別事業実施体制の原型が完成した。実際、このネットワーク・メカニズムのもと、多くのSEED-Netの学位取得支援プログラム修了生が、大学の教員・研究者となって、自国社会の発展、そしてアジア地域の発展に貢献している。

図2　2003年5月時点の分野別事業実施体制(小西のJICA専門家総合報告書から作成)。その後、活動内容の発展によりこの体制も変化した

分野	ホスト大学	本邦幹事大学	本邦支援協力大学
化学工学	デ・ラサール大学 (フィリピン)	東京工業大学	京都大学 豊橋技術科学大学
環境工学	フィリピン大学 ディリマン校 (フィリピン)	東京工業大学	九州大学 慶應義塾大学 北海道大学
製造工学	マラヤ大学 (マレーシア)	慶應義塾大学	東海大学 豊橋技術科学大学
材料工学	マレーシア科学大学 (マレーシア)	豊橋技術科学大学	慶應義塾大学 東京工業大学
土木工学	チュラロンコン大学 (タイ)	北海道大学	東京大学
電気電子工学	チュラロンコン大学 (タイ)	東京工業大学	京都大学 芝浦工業大学 東海大学 東京大学
電気通信	モンクット王工科 大学ラカバン校 (タイ)	東海大学	京都大学 芝浦工業大学 東京大学 東京工業大学
機械・航空工学	バンドン工科大学 (インドネシア)	豊橋技術科学大学	慶應義塾大学 東海大学 早稲田大学
地質・資源工学	ガジャマダ大学 (インドネシア)	九州大学	京都大学 北海道大学

図3　分野別事業実施体制下の主な活動の枠組み（2003年5月時点）

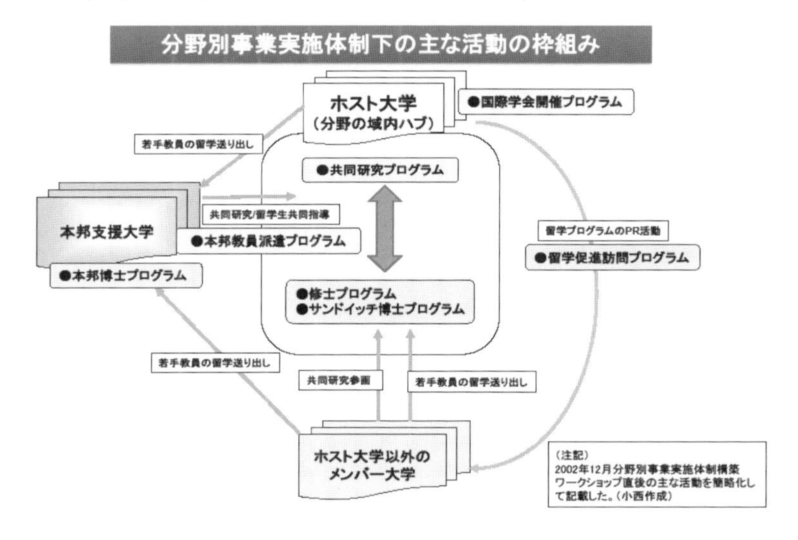

コラム① AUN/SEED-Netと私

元チュラロンコン大学政治学部 教授、
元AUN事務局 事務局長
スパチャイ・ヤヴァプラバハス

光陰矢の如し。先日、友人の小西さんから、今年でSEED-Netが22年目を迎え、出版予定の書籍にコラムとしてSEED-Netに関する私のコメントを欲しいとの連絡を受け、「時の経つのは早いものだ」と感慨深く思ったが、気を取り直して22年以上前の記憶をたどってみた。

2000年を前にしたある日、バンコクにあるアセアン大学ネットワーク（AUN）事務局の事務局長をしていた私のところに、日本の友人から電話がかかってきた。日本とアセアンの大学間の工学教育・研究に関する大学間協力の可能性についてであった。アセアン大学ネットワークは、アセアン事務局から、ネットワーク内のメンバー大学間、およびネットワーク内のメンバー大学とアセアンとのパートナー国の大学間の協力を促進する任務を負っていたため、私たちの反応はポジティブなものだった。AUN事務局はこの連絡を喜び、より詳細な調査を行う準備を始めた。

最初の会合以来、AUN事務局は定期的に日本からの調査団やタイに駐在する日本側関係者の訪問を受け入れ、協議を重ねた。ある月は毎週のように顔を合わせていた。最初のうちは、出会う日本チームメンバーが所属する組織が違うことに気が付かなかったが、何度か会ううちに、同じ日本人でも、東京の外務省、在タイ日本大使館、東京のJICA本部、JICAタイ事務所、ジャカルタにあるアセアン基金事務局など異なるチームがあることに気が付いた。それぞれのチームがそれぞれの立場からSEED-Netの設立や活動につき協議事項を抱えて来訪し、熱く議論をした。

この日本側との協議は、2001年4月に開催された設立総会まで何カ月も熱心に繰り返された。数多く実施した一連の協議の中で、今も強く記憶に残る会議が2つある。1つはシニアな日本の大学教員たちとの終日にわたる会議であり、もう1つは東京からの政府高官を団長とした大調査団との夕方の会議である。特に前者の1日がかりの会議は、とても長く、激しく、とても体力を消耗した。しかし実り多いものだった。この会議で学んだことは、会議の前にコンセプトのレベルでも細かい点でも十分に詰めて検討し、準備しておく必要があるということである。後者の夕刻の会議も、これまた激しく、白熱したものだった。何を議論したか詳細はよく覚えていないが、アセアンの高等教育の状況を明確に説明し、SEED-Netプロジェクトはこれを考慮しなければならないと強く主張したことは覚えている。最終的に、私たちの声が日本のチームリーダーの耳に届いた。

SEED-Net設立総会は、日本から外務副大臣、タイから大学庁長官、そしてアセアン諸国からの教育副大臣が出席してチュラロンコン大学の講堂で開催された。式典に使用した会場は、英国のエリザベス女王陛下、インドのラジブ・ガンジー首相、米国のビル・クリントン大

2001年4月にバンコク・チュラロンコン大学で開催されたSEED-Net設立式典。前列右端が筆者（スパチャイ氏）
（SEED-Net事務局提供）

統領、日本の中曽根康弘首相など、最高位の要人を迎えた部屋であった。

全体としてSEED-Netとの関わりは、私にいくつかの教訓を与え、日本の仕事のやり方を学ばせてくれたし、小西さんと小川さん（当時、JICAからAUN事務局に派遣されていたSEED-Netプロジェクト形成支援のための専門家）という長く付き合える友人を与えてくれた。

コラム② SEED-Netの成長をともに喜ぶ

国際開発ジャーナル社　代表取締役社長　末森 満

SEED-Netは、1997年7月に起こったアジア通貨危機の対策の1つとして形成された。アセアン各国の主要大学の教育人材を日本の大学の協力により育成していく高等教育プロジェクトであり、JICAが初めて取り組んだ広域協力プロジェクトである。

このプロジェクトには、産みの苦しみ、育て方や協力継続の難しさなど様々な課題があったものの、内外のたくさんの方々のご理解とご協力により立派に成長し、20年余を経て今巣立ち、協力の終わりを迎える。私は元JICA職員であり、このプロジェクトの「幼少期」からこれまで直接間接に関わりを持ってきたので、感慨深いものがある。

2003年1月に、このSEED-Netプロジェクトを所管する部署である社会開発協力部の部長を拝命した時に、前任者から「SEED-Netは大型で難しいが重要な案件」として引き継いだ。2003年4月、着任して最初の出張先に選んだのがアフガニスタンとタイであり、当時のことを今でも良く覚えている。

アフガニスタンでは、教育分野で後に多くの高度人材を育成した「未来への架け橋・中核人材育成プロジェクト」の形成につながったプロジェクトを訪問した。その帰路、バンコクに立ち寄り、SEED-Net

の関係者と協議をした。

始まって間もないSEED-Netプロジェクトは、マネジメントの難しさが課題となっていた。SEED-Net事務局では、日本とアセアン側の代表であるタイの双方から選ばれたリーダーたちが協働しなければならない。しかしながらリーダーたちの意見が合わず、プロジェクトのマネジメントの統率が取れていなかった。そこを理解し、何らかの対策を打つには日本側とタイ側双方の関係者との調整が必要で、関係者の間を駆けずり回りつつ、舵取りの難しさを実感した。当事者のみならず、タイ政府、日本政府、国内支援委員会の委員長と、それぞれの立場と考え方があり、妥協点を見出すのは大変だった。

しかしながら、20年の経験の中でこれらの難関も乗り越えて、産官学連携により多くの高度人材を育成し、その広がりと成果は各国で高く評価されている。私自身も、その後、フェーズ3の実施検討の有識者委員会や産学連携促進諮問委員会にも参画し、SEED-Netの現在の発展ぶりを大変うれしく思っている。

2014年8月にバンコク・チュラロンコン大学で開催されたSEED-Netフェーズ3の産学連携促進諮問委員会にて。前列左端が筆者（末森氏）

今は亡き、開発協力における工学系高等教育分野の重鎮でありSEED-Netの設立に奔走された「産みの親」でもあった西野文雄先生、そしてその後の活動実施に貢献いただいた「育ての親」の1人である堤和男先生が偲ばれる。このプロジェクトを通じて得た人のつながりは今でも私の大きな糧になっている。

コラム③ SEED-Netの未来

在マルセイユ総領事　村田 優久夫

私とSEED-Netとの関りがあったのは、1999年7月から2001年9月までの間、私が外務省技術協力課（当時）でアセアンを担当していた時のことであった。フランス語、アフリカを専門とする私にとって、東南アジアの実態を知ることはその後の仕事の大きな糧となった。著者の小西氏とはタイで何度もお世話になり、インドネシアに一緒に出張したことが懐かしい。この時期は、SEED-Netの構想の内容が固まりつつあった時期で、当時の課題は、アセアン側の大学の選定基準をどうするか、特に日本側の関心として、日本が長年支援してきた大学をSEED-Netの対象大学に組み込むことであった。それも本書に記述のように、日本とアセアン各国の阿吽の呼吸で解決した。

このプロジェクトの命名も課題の一つであった。当初「South East Asia Higher Engineering Education Development Network」の頭文字をとって「SHEED Net」ではどうかとAUN事務局長のスパチャイ氏に内々相談したところ、音感が悪いと指摘された。それではHigherの「H」を除いて、「SEED-Net」ではどうかとなった。アセアンの工学系高等教育人材の「種のネットワーク」と、プロジェクトの内容を見事に体現している。

そのSEED-Netが22年の歳月を経て、種から苗木、そして若木に育っていった。この間日本が添え木として支えてきた。これから大木に成長するには、添え木は不要にしなければならない。名称も変えなければならない。もはやSEEDではない。TREEはどうだろう。「Team for Regional Engineering Education」。Networkを超えて、アセアンと日本の諸大学が１つのチームとなって、協力が必要な地域にSEED-Netの経験と成果を均霑（きんてん）させ、地域全体の高度産業人材を育成していく姿を夢見ている。

この新構想が実現するならば、是非アフリカも視野に入れて欲しい。冷戦が終焉し、東西陣営による援助競争の終わったアフリカ大陸の未来に国際社会が悲観主義に陥っていた時、日本政府は、アフリカを取り残すことはできないとして、アフリカ開発会議（TICAD）を提唱した。1993年に第1回TICADが開催され、以降5年毎に、2013年からは3年毎に開催している。TICADの基本理念は「アフリカのオーナーシップと国際社会のパートナーシップ」である。この理念はSEED-Netの根幹にある考えと同じである。TICADでは「投資と貿易」をアフリカ開発の原動力にすることをアフリカ、国際社会の双方が目指している。それを支える産業人材の育成が最大の課題である。SEED-Netの成功例を是非アフリカでも展開したいと思うのは私だけではないだろう。

＊以上の見解は個人の見解であり、所属組織の見解を示すものではありません。

2000年11月にバンコク・チュラロンコン大学で開催されたSEED-Net準備会合出席者の集合写真。
最前列左から2人目が小川氏、3人目が村田氏、6人目がスパチャイ氏。
2列目左から1人目が南部氏(「あとがき」参照)、4人目が西野文雄先生、右から2人目がジョコ氏(第3章コラム⑤参照)。
3列目1番左端が小西(本篇筆者)、9人目が堤和男先生。

第 2 章

SEED-Net が生んだ英才たち

SEED-Net最大の成果かつアセット（財産）は、「学位取得支援プログラム」を通じて育成した研究者（メンバー大学の若手教員）と、彼らを中心に構築された日本とアセアンの大学教員・研究者間の人的ネットワークである。

彼らは、なぜSEED-Netに参画することになったのか。また、どんな留学生活を送り、さらに卒業後、母国やアジア地域の発展や日本との関係構築にどのように貢献してきたのだろうか。

本章では、そのことを読者の皆さんに是非紹介したい。SEED-Netでは、これまで修士課程・博士課程合わせて延べ1,400名以上に学位取得の機会を提供してきた。延べ人数のため、修士課程と博士課程の両方で支援を受けた人、この原稿を執筆している2022年現在まだ修学中の人、またごく一部ではあるが所定課程を修了できなかった人もいるが、それでも大変多くの人を支援してきた。本当は全員を紹介したいところだが、紙面の関係からそのごく一端を紹介する。

まず、SEED-Netのアセアン域内の学位取得支援プログラムに参画した若き教員アグン、ジュリーローズ、彼女の同級生たちの留学時代の交流の様子を紹介する。その後、さらにルーカス、セインヘン、ジェイアールの3名の若手教員を取り上げ、彼らの留学中の奮闘と帰国後の活躍を詳細に描く。

1．アセアンと日本の留学事業始まる

慶應義塾大学に留学、3年で博士号を取得

SEED-Netという壮大なプロジェクトに留学生として参加することになったことで人生の新しいページを開き、近隣国から来た「同志」とともに苦労や喜びを分かち合いながらそれぞれのドラマを紡いでいく。その中には留学先において優秀な成績を収め、学会や論文の発表に対して賞を受けるような学生も少なくない。インドネシアのガジャマダ大学（UGM）の講師で、

マレーシアのマラヤ大学にSEED-Netの域内修士号取得支援プログラム学生として留学したアグン氏もその1人だ。

アグン氏は2005年にUGMで修士号を取得し、母校の機械・産業工学学科の教員として勤務を開始したが、自身の教育・研究能力のさらなる向上と海外での留学経験を得るために、SEED-Netの「学位取得支援プログラム」に参画した。

修士課程ではマラヤ大学の教員に指導を受けるとともに、同大学から共同指導教員に指名された慶應義塾大学の教授からも指導を受ける。この出会いが、彼と日本とのその後の関係を決定づけることになる。共同指導をする中で、共同指導教員である慶應義塾大学の教授からその優秀さを認められ、修士号取得後、今度はSEED-Netの本邦博士号取得支援プログラムで慶應義塾大学の博士課程に留学したのである。

SEED-Net域内留学プログラムにおいては、1人の留学生に対して、ホスト大学の教員がメインの指導教員になるのと同時に、本邦大学から必ず1人共同指導教員を指名し、両者による共同指導体制を組むことが義務付けられている。本邦大学教員が関わることによって研究指導の質が担保される。また、送り出し大学の若手教員である留学生と、ホスト大学の教員と、日本の教員の3者が修士・博士学生の研究に関わることによって、3つの国の異なる視点からインプットを得ながら研究を進めることが可能になる。さらには、アセアン域内で育成する人材にも日本との関係を打ち込むことができる。

アグン氏はこの仕組みを通じて慶應義塾大学の教授と出会い、マラヤ大学在学中にSEED-Netの本邦博士号取得支援プログラムに応募し、日本に留学することになる。SEED-Netの本邦博士号取得支援プログラムは、学部時代に優秀な成績を収めていること、本邦の受入候補教員から受け入れについて内諾を得ていることが合否審査基準となる。アグン氏はどちらも十分にクリアーしていたのである。もちろん慶應義塾大学の入試に合格しなければならないが、その点も問題がなかった。

アグン氏は博士課程でも真摯に研究に取り組み、博士課程在籍中にドイツで開催された国際学会ではベストポスター賞を受賞するなど、研究成果を着実に挙げ、無事3年間で博士号を取得。帰国後は母国で次世代の人材育成に携わるとともに、客員教員としてインドネシア国内の他大学の教育活動にも参画している。

東南アジアが好き、理由は「カラフル」だから

同時期にマラヤ大学で学んでいた学生の中でもう1人、ジュリーローズ氏のことを是非紹介したい。本書の著者である梅宮に彼女が言った1つの言葉が鮮明に心に残っていて、その後も東南アジアを訪れるたびに何度も記憶によみがえるからである。

ジュリーローズ氏はフィリピンの出身。梅宮が2005年にバンコクのSEED-Net事務局からマラヤ大学に出張し、その年に入学したSEED-Netの新入生と初めて面談をもった中に、フィリピンのデ・ラサール大学から留学していた彼女もいた。SEED-Net奨学生としての入学に歓迎の意を表したうえで、自己紹介をお願いし、なぜSEED-Netを選んだのかを尋ねてみた。各国のトップ大学を優秀な成績で卒業した彼らには、欧米先進国の大学に進学するための奨学金の話もあったろう。その理由を知ることは、今後のSEED-Netの戦略を練るうえでも大事な情報になると考えたからである。

その質問に対して、他の学生の中には正直に「本当は欧米に行きたかったけど、欧米の大学の奨学金審査に落ちてしまって（笑）」といった答えをする学生もいたが、ジュリーローズ氏の回答は実にシンプルなものであった。

「東南アジアが好きだから。なぜなら、この地域はカラフルだから（I love Southeast Asia, because this region is colorful）」。とてもシンプルな答えだけれど、「カラフル」という言葉はこの地域の特徴を的確に表していて、梅宮自身「ああ、そうか、だから私もこの地域が好きなんだ」と内心

妙に納得するとともに、彼女の見事な表現に感動した。

アセアンは東南アジア地域の10カ国で構成されているが、その構成国の歴史や文化、宗教、民族は多種多様である。サイズも人口500万人ほどのシンガポールから、人口2億人を超えるインドネシアまである。1人当たりGDPも2001年当時、300ドルのミャンマーからすでに2万ドルを超えていたシンガポールまである。宗教も、仏教、イスラム教、ヒンズー教、キリスト教を含めあらゆる宗教を信じる人たちがいる。

このことは、アセアンが進める地域統合の大きなハードルとなっている。経済的格差があり、宗教も文化も異なる国や人々を1つの地域として統合するのは簡単なことではないからである。それに対してジュリーローズ氏は、地域内に広がるこれらの違いを「カラフル」というとても前向きな言葉で表現したのである。いろいろな民族がいて、いろいろな文化があって、異なる宗教を信じる人がいることが、この地域が持っている何物にも代えがたい魅力と強さであると彼女は信じているようだ。それは、2015年に国連サミットで採択された、個々人の個性を尊重し、多様性を包摂する持続可能な開発目標（SDGs）の考え方に通じる。

実際、マラヤ大学工学部製造工学科に集い、ジュリーローズ氏の同窓生となったSEED-Net留学生も実に「カラフル」であった。タイのブラパー大学から来たワラッタ氏、インドネシアのガジャマダ大学から来たヘリアンシャ氏とヘリアント氏、ベトナムのホーチミン市工科大学から来たミン氏、ラオス国立大学から来たロイ氏、それからこの後に紹介する同郷のフィリピンから来たジェイアール氏。彼ら彼女らは2年間という長い期間、同じ研究室で文字どおり「同じ釜の飯」を食べながら苦楽を共にした。

アセアンが進める政治経済統合とは別の次元で、将来各国の工学教育を牽引することになる若いリーダーたちが、国を超え信頼関係を構築していたのである。彼らは卒業して15年ほどになるが、それぞれの場所で活躍しながら、今もSNSを通じて互いに連絡を取り合っている。

チュラロンコン大学に学位取得支援プログラムで留学している学生に対する修学状況のヒアリング。ミャンマー、フィリピン、インドネシア、カンボジアからの学生の姿が見える

2. 資源の開発を通じて国に富をもたらす

ガジャマダ大学から九州大学へ

これから紹介する3人の学位取得支援プログラム修了生の最初の主人公は、インドネシアの首都ジャカルタから東へ400kmほど行ったジャワ島中部の古都ジョグジャカルタにある名門校、ガジャマダ大学（UGM）のルーカス先生である。ジョグジャカルタ出身でUGMを卒業したルーカス氏は、数年間民間企業で働いた後、1999年に母校の教員となる。その直後、2000年から2年間オランダに留学をして修士号を取得。留学から戻って、あんな研究がやりたい、こんな課題に取り組みたいとアイデアが次々に湧いて、博士課程に進学しようとした時にSEED-Net学位取得支援プログラムのことを知った。UGMは2001年にSEED-Netが始まったときの創設メンバーである。UGMの教員を対象にした学位取得支援プログラムの開始案内がルーカス氏のところにも届いたのである。

SEED-Netにおける、彼が専門とする地質工学分野の日本での幹事大学は九州大学である。彼が主として研究をしていた地球資源工学で実績のある大学は、当時世界中を見渡してもわずかしかなく、九州大学はこの分野で世界の研究を牽引する大学であった。さらに、多くの留学生を受け入れる国際的な大学院プログラムも開設されていたので、ルーカス氏は迷うことなくSEED-Netの本邦博士号取得支援プログラムに応募し、九州大学の渡邊公一郎教授（当時、九州大学大学院工学研究院地球資源システム工学部門。2022年現在、JICA国際協力専門員）の応用地質学研究室の一員となる。「渡邊教授のもとで研究した時間がこれまでの人生のなかで最も生産的な時間だった。渡邊教授は、ボス、あるいは指導教員というよりは、同僚・パートナーとして自分に接してくれた。博士課程在籍中には、東南アジア諸国をはじめ、オーストラリア、中国、トルコ、メキシコなどでのプロジェクトにも参加し、多くの経験をした」と渡邊研究室での活動を振り返る。

渡邊教授をはじめとする研究室のメンバーとともにルーカス氏は次々に研究論文を発表し、2005年に北京で開かれた国際会議ではポスター賞も受賞する。あっという間に研究実績が積み上がり、普通なら3年で修了するこ

九州大学留学時代のルーカス氏と研究室の学生。右から2人目がルーカス氏
（ルーカス氏提供）

とも簡単ではない博士課程を2年で修了し、博士号を取得してしまうのである。「2年間で博士号が取れたのはひとえに研究室のメンバーの協力のおかげ」とルーカス氏は謙遜する。同時に「博士課程の研究を進める中で、さらに多くの研究のアイデアが浮かんできて、とても2年ではやりきれなかった」という。

そんな中、渡邊教授から「九州大学の研究員のポストに応募しないか」と声がかかる。ルーカス氏は「九州大学という、地球資源工学分野で世界的に有名な大学でさらに研究が続けられる。また、九州大学の研究員になって東南アジア諸国と日本の大学間の連携活動を推進できれば、九州大学、UGM、そしてSEED-Netに貢献することができる」と考え、九州大学に残ることを決めた。かくして2005年からは研究員として、さらに2007年から2008年までは助教になって、九州大学でさらに研究スキルを磨くことになるのである。

2年間の博士課程での研究に加え、3年間の研究員・助教としての研究生活を九州大学で送ったルーカス氏は、満を持して、2008年に故郷ジョグジャカルタに錦を飾る。UGMに教員として復帰したのである。

次は自分がお返しする番

UGMに復帰後、彼が最も力を入れたことの1つは産業界との連携促進である。経済発展を遂げようとしていたインドネシアにおいて、資源は重要な産業の1つであったが、資源分野の企業はまだまだ十分な力を持っていなかった。特に、自国が保有する資源にどういったポテンシャルがあるのかを正確に評価・判断することができていなかった。ルーカス氏は九州大学で得た専門知識を使って産業界を助けようと考える。「産業界との連携を通じて、自国と世界のために実質的な貢献ができると考えた。同時に、自分の学生たちに企業と協働する経験を提供することができる」と、ルーカス氏は産学連携の意義について述べる。そして、2008年には、インドネシアの地球資源産業に関わる専門人材を支援することを目的とした「インドネシア鉱床学者学会」の設立に、創設メンバーの1人として参画した。こういった功績はインドネシアの産業界から高く評価され、2020年にはインドネシア技術者協会から、国内の工業分野の発展に貢献した技術者に与えられる最高位の称号である「上級専門技術者」の称号が授与されている。

教育・研究、そして産業界との連携と、幅広い活動を推進するルーカス氏。彼を支えている想いは何か。「産学連携を通じて自国の経済発展を支えることが自分のモチベーションになっている。これまで多くの国の多くの人からたくさんの支援を受けてきた。次は自分が社会にお返しをする番だ。自分は、資源分野の企業が異なる資源を発見し活用する手助けができる。ニッケル、アルミニウム、銅などの資源の開発、それから地熱エネルギーといった再生可能エネルギーの開発を含めて、資源分野の産業の発展はこれからのインドネシアの経済発展にとって欠かせないものとなっている。レアアース、リチウムなどグリーン経済をサポートする新しい資源を発掘していく手助けもしたい」と彼はそのモチベーションと将来展望について語る。

地質工学情報システムの第一人者に

このような活動を支える経験についてルーカス氏はこう述べている。「自分の専門分野である地球資源工学分野では、実際にいろいろな場所を訪れ、世界中の異なる資源について観察し学ぶ機会を持つことが必要となる。九州大学の博士課程において、また、SEED-Netの共同研究プログラムとネットワークによって、自分はそういった経験を本当にたくさんすることができた。また、各地への訪問を通じて、世界が今どういう課題に直面しているのかという広い視野を得ることができた。世界が直面しているレアアースの問題やグリーン経済の問題について早い段階で知ることができたので、母校でこれらの課題に関する研究を早期に開始することができ、結果として自分は今、地質工学情報システムとレアアースに関するインドネシアでの第一人者となっている」。

ルーカス氏がもう1つ力を入れていること、それは、次世代の人材の育成である。しかも、インドネシア人だけではない。自身の研究室に東南アジア諸国からの留学生をSEED-Netを通じて多数受け入れている。ルーカス氏はかつて、SEED-Netの学位取得支援プログラムの参加者として博士号

ミャンマーからの学生（真ん中）とインドネシア国内の研究サイトを訪れたルーカス氏（右）
（ルーカス氏提供）

カンボジアからの学生（左）とインドネシア国内の活火山を訪れたルーカス氏（右）
（ルーカス氏提供）

取得のための支援を受ける立場であったが、今はSEED-Netのメンバー大学からの留学生を受け入れ、育成する立場になっている。

ルーカス氏は「ミャンマー、ラオス、カンボジアからの留学生を博士課程に5名、修士課程に10名ほど受け入れてきた。彼らができるだけインドネシアのいろいろな場所を訪れ、異なる資源について研究できるようにしている。これは自分が九州大学でやらせてもらったこと。彼らには学位を取ってもらうことが目的だが、それだけでなく、自国に戻って、ここで得た知識と経験を自国の資源産業の発展のために共有してもらいたい」と彼らへの期待を述べる。

このことはUGMの地質工学研究科の評価を高めることにもつながっている。多くの留学生を受け入れ、また、SEED-Netにおける地質工学分野の地域会議をいくつも主催していくなかで、UGMの国際的な研究機関としての評価は高まっていった。結果として、先進国から留学してくる学生も出てきている。その中には九州大学からやってきた日本人の留学生もいる。「UGMは東南アジアで最も進んだ大学の1つとして認知されるようになった」とルーカス氏は振り返る。

ルーカス氏は、教育・研究を通じ、日本と東南アジア各国との懸け橋となっている。SEED-Netでかけられた橋をルーカス氏が渡り、今度は彼がかけた橋を多くの若者が渡り、また新たな橋がかけられてこの地域の発展のために尽くしている。

3. カンボジアのイノベーションを担う

フィリピン大学の博士課程へ

2人目の主人公は、もともとはカンボジア工科大学（ITC）の教員で、2020年からカンボジア政府のイノベーション省科学技術イノベーション総局長を務めるセインヘン氏である。セインヘン氏は、国内で理数系の秀才たちが集まるITCの学部課程に入学。卒業後の進路を考えていた時に、学長から、SEED-Netのアセアンのメンバー大学への留学を提案された。当時、ITCでは、学年のトップ20くらいまでの卒業生はフランスかベルギーの奨学金が供与され、これらの国に留学するのが通例であった。学年で2番の成績を収めていたセインヘン氏は、自分もフランスかベルギーに行くだろうと思っていた。しかし学長は、「ITCにとっていろいろな国・大学との連携が重要だから」と、ITCが2001年からメンバー大学になったSEED-Netの学位取得支援プログラムへの参画を勧めた。セインヘン氏は勧めに応じ、2004年、SEED-Netにおいて彼が専門とする環境工学分野のホスト大学であったフィリピン大学ディリマン校の修士課程に留学することになる。

セインヘン氏にとってフィリピンは、新しい世界との出会いの場であった。まずもって、フィリピンの人たちはフレンドリーでオープンな性格の人ばかり。ポル・ポト時代の直後にカンボジアに生まれ、また、当時はソビエト連邦など社会主義国の影響を強く受けていたカンボジアで育った彼は、フィリピンの人たちから人と交わる新しい方法を学び、自身のこれまでの固定観念を開放する、とても新鮮な経験をすることになる。「特に自分が専攻した環境工学研究科ではフィールドへの調査旅行が多く、フィリピン各地を訪れ様々な人と出会うなかで、専門知識以外の多くのことも学んだ」と回顧する。

最初は、フィリピンの人たちの時間の感覚に慣れるのに苦労した。「時間どおりに会議が始まることがなかなかなくて（笑）」と振り返るが、セインヘン氏は順調に研究を進め、予定どおり2年間で修士号を取得した。

さて、次をどうするか――。日本や他の先進国の博士課程に留学する選択肢もあったが、彼は同じフィリピン大学ディリマン校の博士課程への進学を選んだ。「ITCの上司である学科長が言った『カンボジアはまだ貧しい。できるだけ早く学位をとってカンボジアに戻り、祖国の発展のために貢献しろ。あちこちに留学先を変えて出かけている余裕はない。時間を無駄にするな』という言葉が大きかった」。

SEED-Netの域内博士号取得支援プログラムがサンドイッチ博士プログ

ラムであったことも魅力であった。つまり、域内のホスト大学の博士課程に留学しながら、3年間の修学期間のなかで最長1年間、日本の共同指導教員のもとに研究留学ができるからである。

実際、修士課程時代から一貫して、環境工学の分野幹事であった東京工業大学の教授が共同指導教員としてついてくれた。博士課程に進学した時にその教授は静岡大学に転籍していたことから、静岡大学に短期留学をする。「フィリピンでは研究に必要なスキルが身につき、日本では研究に必要な態度が身についた。つまり、勤勉さや時間厳守、良い研究者であるとともに良い市民・人間であるべきといったことを、日本の研究室で学んだ」と言う。

セインヘン氏のフィリピンでの博士課程進学は、フィリピン大学ディリマン校にとってもとても大きな出来事であった。SEED-Netが設立された当初、域内修士号取得支援プログラムを修了した学生は、学術的により進んだ日本や他の先進国の大学の博士課程に進学することが多かった。アセアン域内のホスト大学にとって、自大学の修士課程修了者が続けて同じ大学

フィリピン留学時代のセインヘン氏。この頃はフィールド調査でフィリピン各地を訪れていた
（セインヘン氏提供）

の博士課程に進学してくれることは悲願でもあり、彼の進学は関係者を大いに喜ばせた。また、この頃にはすでに、ホスト大学にそれだけの実力がついてきたのである。

カンボジアへの凱旋

こうして修士課程、博士課程を無事に終え、さらにはその間に日本への短期留学も行って無事博士号を取得。2010年に母国の教員としてカンボジアに戻った。帰国したセインヘン氏を学長はフルサポートで歓迎した。留学から帰ってきても、かつては、大学での教育の仕事や大学運営の業務に多くの時間を割かれ、研究の継続は難しかった。しかし、学長は、若手教員が研究開発活動を継続できるようにと最大限のサポートを惜しまず、セインヘン氏は研究に邁進することができた。その際に、SEED-Netを通じて構築した域内の他のメンバー大学とのネットワークが活きた。SEED-Netの他大学にすでに多くの友人の研究者がいて、WhatsApp（LINEのようなコミュニケーション・アプリ）を使っていつでも連絡をとって連携を図ることができた。実際そのようにして、マレーシア工科大学やタイのカセサート大学と共同研究を行った。

日本の大学とのつながりも同様である。日本の共同指導教員とのつながりに加え、インドネシアで開催された国際会議で知り合った東京工業大学の教授との出会いがその後の彼の研究活動を大きく花開かせる。2013年に開催された国際会議で出会った東京工業大学の教授とは、自身と同じく湖の環境についての研究をしていたこともあり意気投合する。同教授が申請し採択された日本学術振興会（JSPS）の共同研究プロジェクトにも参画し、毎年のように東京工業大学を訪問し連携を深めた。

さらには、第3章で経緯を詳しく述べるが、科学技術振興機構（JST）とJICAが共同実施する「地球規模課題対応国際科学技術協力プログラム（SATREPS）」にて採択された共同研究プロジェクトに、主要メンバーとして参画。これは、地元カンボジアのトンレサップ湖における環境保全プロジェクトである。「SEED-Netで培った人的なネットワークが、さらなる日本の大学との共同研究につながっていった。SATREPSプロジェクトも、SEED-Netの共同研究プログラムで獲得した資金を使った研究が深化し、SATREPSという大きな共同研究プロジェクトにつながった」と振り返る。

ITCに戻り研究活動に邁進するセインヘン氏　（セインヘン氏提供）

ITCで小西（左端）に研究活動を説明するセインヘン氏（右端）

産業界と学術界の距離を縮める仕事

このように精力的に母校での研究活動に取り組む姿勢が評価され、2011年には、ITCの研究イノベーションセンターのセンター長に抜擢された。2017年にタイのバンコクで開催されたSEED-Netの運営委員会に梅宮はJICA本部を代表して参加したが、その際、セインヘン氏は学長の代理でITCを代表して運営委員会に参加していた。梅宮は冒頭の会議開会の挨拶において「この会場にいるセインヘン氏こそがSEED-Netの成果を体現している。彼と私が最初に出会ったのは2005年、フィリピンだった。そのころ彼はSEED-Netの修士課程の留学生だった。その彼は、その後博士号を取得し母国に戻り、SEED-Netのメンバー大学との連携を進め、今日は、母校を代表しこの委員会に出席している」とセインヘン氏を紹介した。梅宮にとって、彼のこのような活躍を見るのは本当にうれしいことであった。

会議後、「最初に会ったときは学生だったのに、5年後にはセンター長になっている。さらに10年後はITCの学長になって、そのさらに10年後は教育大臣になっているかもね。教育大臣になってもSEED-Netのことを決して忘れずサポートしてね（笑）」と冗談まじりで言っていたことを思い出すが、その後、彼は2019年にITCの副学長になり、2020年にイノベーション省の総局長になっている。本当に近い将来、大臣になっているかもしれない。彼のさらなる活躍が楽しみでならない。

次々と大事なポジションに就いていくセインヘン氏に、「難しい仕事が続いていて大変だと思うが、どういう想いで仕事をしているのか」と尋ねたところ、「仕事が大変だと思ったことは一度もない。ずっと楽しい」とさらりと返された。「インド発祥のヒンズー教の影響を受けたクメール文化を背景とするカンボジアでは、教師は崇高な職業と考えられている。インドのヒンズー教では、教師は『グル』と呼ばれる崇高な立場。そういった仕事に就いている者として、次世代になにかを残したい」と言う。

2022年現在イノベーション省の局長を務めるセインヘン氏
（セインヘン氏提供）

また、「カンボジアはまだ貧しい。さらなる発展のためには、科学技術の知見を使い産業を発展させて行く必要がある。しかし、今のカンボジアは産業界と学術界の距離が遠い。この距離を縮め、両者を連携させるのが自分の仕事。ITCはそのカギとなる機関。ITCは世界銀行の高等教育支援のプロジェクトにも参加していて、そこでは、カリキュラム開発や研究を進めるための資金が提供されるが、その際には、海外の大学との連携のもとで行うことが条件となっている。ITCはそこでもSEED-Netで培ったネットワークを活用し、インドネシアのバンドン工科大学やタイのモンクット王工科大学ラカバン校をパートナーとして、世界銀行の支援のもとで大学を強化している。また、SEED-Netの卒業生は、ITCだけでなく、カンボジアの様々な政府機関や民間セクターでも活躍している。彼らが、カンボジアの科学技術振興を進めている」と語った。

2020年に東京工業大学との打合せで来日したセインヘン氏と都内で再会（右下がセインヘン氏。右上が梅宮。左は、同じくSEED-Net学位取得支援プログラムにより東京工業大学で博士号を取得したフィデロ氏。彼も帰国後ITCの学部長を務めた後、2020年から科学技術イノベーション省傘下の国立科学技術イノベーション研究所の所長を務めている）

2004年にSEED-Netでフィリピン大学に留学をした1人の若者が、カンボジアの科学技術イノベーションの未来を変えようとしている。

4．先端科学技術で人類の文化遺産を護る

SEED-Netのビジョンに魅かれて

3人目の主人公を紹介しよう。フィリピン大学ディリマン校で講師をしていたジェイアール氏は、教員としてのさらなる能力向上のための留学を考えていた。フィリピンを代表するフィリピン大学ディリマン校の学士課程を優秀な成績で卒業し、同大学に教員として採用されていた彼には、多くの選択肢があった。SEED-Netだけでなく、米国や欧州、日本の大学に留学するた

めの奨学金を得るチャンスもあったのである。しかし、彼はSEED-Netを選ぶ。

その理由を彼は次のように述べている。「SEED-Netが掲げる『東南アジア諸国の間の協力関係を強化する』というビジョンに魅力を感じた。また、SEED-Netは当時まだ設立されたばかりだったので『パイオニア』になりたいと思った。さらには、SEED-Netでは、修士課程で成功すれば、さらに本邦大学の博士課程に留学ができるというのも魅力的だった。修士課程で良い成績を収めるために、本当に一生懸命勉強した。ほかの選択肢もあったけれど、長期的な視点に立ってSEED-Netを選んだ」。

こうしてジェイアール氏は、SEED-Netのパイオニアの1人として、2005年に住み慣れたフィリピンの首都マニラを離れ、マレーシアの首都クアラルンプールにやってくる。2年間のクアラルンプール生活の始まりである。彼が所属したのは、マラヤ大学の製造工学研究科修士課程。マラヤ大学を選んだ理由については、「学部時代は機械工学を専攻していたが、修士課程では、純粋な機械工学ではなく隣接分野での研究をやりたかったので、

2005年8月マラヤ大学で共に過ごしたSEED-Net留学生たちとジェイアール氏（右端）
（ジェイアール氏提供）

東南アジアのトップ大学の1つで、かつSEED-Netにおいて製造工学分野をホストしていたマラヤ大学を留学先に選んだ」と説明する。

マレーシアでの生活はとても楽しいものとなった。「マレーシアとフィリピンは文化的にも似ているので慣れるのに時間はかからなかった。もちろん最初は、イスラム教徒が多く住む国なので、キリスト教徒が多いフィリピンから来た自分には、特に食事面で戸惑いがあったけど、他の人たちの信仰や文化をどのように尊重するかを学ぶ機会になった。同じ研究室にSEED-Netで他の国から留学してきていた同級生とも気が合って、毎週1日はナイト・マーケットに行ってみんなで食事をしていた」と言う。

ハムディ准教授、井手教授との出会い

マラヤ大学でのジェイアール氏の指導教員は、その後同大学の教授になり、工学部長になり、さらには2020年11月に48歳という若さでマラヤ大学の副学長になるハムディ准教授であった。ちなみに、マレーシアでは学長は王族が務める名誉職であり、副学長が実質、日本の大学でいう学長にあたる。マラヤ大学は、1905年に英領マラヤに植民地政府によって設立された大学を起源としたマレーシア最古の大学である。のちにマレーシアを代表する大学の「学長」になるハムディ准教授との幸運な出会いが、ジェイアール氏の人生を大きく動かしていくことになる。

ハムディ准教授自身、日本留学組で、かつて京都大学に留学して修士号・博士号を取得した非常に優秀な教員であった。京都大学時代の指導教員であった井手亜里教授と卒業後も強い師弟関係を維持していて、ジェイアール氏の研究テーマが井手教授の専門分野とも合致したことから、井手教授にジェイアール氏の修士論文の共同指導教員となってくれるようお願いし快諾を得る。SEED-Net域内留学プログラムにおいては、1人の留学生に対して、ホスト大学の教員がメインの指導教員になるのと同時に、本邦大学から必ず1人共同指導教員を指名し、両者による共同指導

体制を組むことが義務付けられている。

この仕組みによってジェイアール氏は、当該分野で、マレーシアと日本を代表する研究者に同時に指導を受ける幸運に恵まれるのである。そして、その幸運は、彼の努力によって次の幸運を呼び込む。修士時代の彼の活躍と優秀さを認めた井手教授が、ジェイアール氏に京都大学の自身の研究室に博士学生として留学することを勧めたのである。「子どもの頃から日本のアニメやテレビ番組を見ていたので、日本に住むことは夢だった。留学先として日本を選ぶことに迷いはなかった。フィリピンから近いというのも大きな理由だったけど（笑）」と当時の決断を振り返る。マレーシアで知り合った井手教授は、彼にとって、公私ともにその後の人生において、誰よりも強いつながりを持つ人物となる。

かくしてジェイアール氏は、マラヤ大学在学中にSEED-Netの本邦博士号取得支援プログラムに応募し、見事合格。2007年10月から京都大学に留学することになる。

梅宮は2005年から2009年までSEED-Net事務局に勤務していた間、マラヤ大学におけるSEED-Net活動のモニタリングのため、少なくとも年に一度、バンコクからクアラルンプールに出張し、マラヤ大学に留学中のSEED-Net学生と面談を持っていたが、ジェイアール氏はSEED-Net学生の中で常にリーダー的存在であった。また、2009年にJICA本部に戻ってSEED-Netを担当する立場になると、今度は、京都大学に出張するたびに井手教授の研究室にジェイアール氏を訪ね、彼が元気にやっているかをフォローした。「日本に馴染めているかな」などというこちらの心配などそっちのけで着実に研究成果を挙げ、また、どんどん日本語がうまくなっていく彼に会うのがいつも楽しみであった。

高精細画像記録技術を究める

ジェイアール氏は、その後、2011年に京都大学で博士号を取得したのち、日本学術振興会（JSPS）の特別研究員制度に合格し、2012年から14年までポスドク研究員として京都大学に勤務。2022年現在は、滋賀県大津市に家族と住み、井手教授が京都市に設立した一般社団法人先端イメージング工学研究所でシニア研究員として勤務している。彼の仕事を一貫して支えているのは、修士・博士留学で習得した「高精細画像記録技術」である。それを使った彼の仕事は実に面白い。高精細画像記録技術を用いて作った「巨大かつ高解像度」のスキャナーを使い、屏風や彫刻などの文化財を科学的に保存するのである。先端イメージング工学研究所はそのホームページで、この事業の意義を、「人類共通の文化遺産は、災害や経年劣化などによる自然的破壊や、戦争や無知の引き起こす人為的破壊の危険に常に晒されています。これらの貴重な文化財を、科学的に確実に保存・保護するとともに、その情報を分析・活用することによって、先人達の残した芸術作品に込められた美と技法、歴史文化財に記された記憶と知恵といった無形の財産を、現代を生きる人々のために役立てることができるよう、日本の最先端科学技術を通して、社会と世界に貢献したいと考えます」と述べている。

ジェイアール氏は、日本では仁和寺での文化財の保存プロジェクト、タイの国立図書館、インドネシアやミャンマーなどの東南アジア諸国の寺院、エジプト、米国、欧州などの遺跡を対象にしたプロジェクトなどに参加し、世界中を飛び回ってきた。SEED-Netで得た知識を使い、日本や東南アジアだけではなく、世界各地の文化遺産の保存・保護に貢献する壮大な仕事をやっているのである。「タイやインドネシアには、行くたびに、マラヤ大学留学時代に同じ研究室に留学していたSEED-Netの留学生たちに連絡をして現地で会っている。SEED-Netで築いたネットワークは生涯のものとなっている」と言う。

SEED-Netでの留学を通じて得た知識や経験で、その後の難しい仕事を乗り越えることを助けてくれたものがあれば教えて欲しいという問いに対す

2010年12月にエジプトに出張し大エジプト博物館で、スキャナーについてエジプトの科学者・研究者に説明するジェイアール氏（真ん中）　（ジェイアール氏提供）

るジェイアール氏の答えは、次のようなものだった。

「SEED-Netが与えてくれたものの1つは、自分を信じる気持ちと自信。第三世界と呼ばれる途上国出身の自分は、そのことにずっと劣等感を感じコンプレックスを持っていた。しかし、留学を通じ、世界で肩を並べて戦える知識や技術を習得することができ、それを使って社会のために貢献できるということが自分にとって大きな自信になっている。もう1つの大きな財産は、SEED-Netが最も基本とする『コラボレーション・スピリット（協働の精神）』。これは日本社会が大事にしているスピリットでもあると思う。留学先のマレーシアの研究室にも、日本の研究室にもこの精神があり、自分は他者と協力することに対してオープンになれた。もし他の奨学金で他の国に留学をしていたら、ひょっとすると、自分の実績のために得た知識を自分の中だけにしまい込もうという姿勢になっていたのではと想像する」。

このジェイアール氏が語ったSEED-Netの文脈における「コラボレーション・スピリット」には、多くの意味が込められている。まずは言葉そのままの「協働」で共に働くこと。そのためには、相手のことを思い、相手に敬意を払うこと。相手に何らかの貢献・奉仕をしようと思う心、自他共栄の精神ともいえる。そして、これを異なる文化、異なる宗教、異なる価値観の中で育った人間同士が共有し実践したとき、それは、東南アジア、東南アジアと日本の連帯と繁栄に通じる精神ということができる。

これからも世界との協働を進めていく

最後に将来の展望について聞いてみた。「京都大学でのポスドク研究員の後、フィリピン大学に戻る計画を立てていたが、コロナ禍で延期になっている。しかし、いずれはフィリピンに戻り、マレーシアと日本で得た知識と経験を活かし、母国の発展に寄与したいと考えている。実はコロナ禍前には、母校のフィリピン大学ディリマン校やフィリピン国立博物館、フィリピン宇宙機構などから空席・新設のポストに応募をしてみないかと誘いを受けており、今後、応募を考えたいと思っている」。

フィリピンにはバリック・プログラムというプログラムがある。外国で活躍するフィリピン人の科学者が母国に戻ってくることを支援・奨励するプログラムだ。もともとは、1970年代にフィリピン政府が導入したもののあまり実効性を伴っていなかったが、ここにきてフィリピン政府が科学技術振興を重点政策とするなかで、2018年からこのプログラムが再び活発に活用されるようになった。このプログラムに応募し採用された研究者は、帰国する際の引っ越し費用や戻った後の研究費が補助されることになる。「このプログラムの活用も是非考えたい。また、フィリピンに戻っても、現在所属している先端イメージング技術研究所を中心に日本との関係はずっと続く。自分はすでに日本の永住権を取得しているので、いつでも日本との行き来ができる。バリック・プログラムには、海外に拠点を置きながら、フィリピンに短期で訪問・滞在することを支援するプログラムもあるので、拠点を日本に置きながら、逆にフィリピンとの間を行き来するという選択肢もある。いずれにしても、フィリピンと日本やそれ以外の国々と協働していくつもり」。

以下は、ジェイアール氏がマラヤ大学留学中にSEED-Net年報（2005年）に寄せたメッセージである。

私がここにいるのは、理由と目的があるからです。できる限り多くのことを学び、母国と、私を教育し勉学に邁進させてくれたすべての人々に恩返しし、奉仕するためなのです。JICA AUN/SEED-Netプログラム、そしてマラヤ大学の先生方への感謝とお礼は、「ありがとう」という言葉だけでは足りません。私が恩返しをする唯一の方法は、神様が私に与えてくださった才能を惜しみなく発揮し、これまでに得た知識を分かち合うことだと思います。

振り返ってみると、最初の2学期は、講義や試験の準備のために眉間にシワを寄せて勉強していました。土日の講義に慣れていないこともあり、最初は少し大変でしたが、その努力が報われたのか、授業では良い結果を出すことができました。今はフルタイムで研究をしていますが、とても楽しいです。他の大学院生と共同研究をすることもあります。これは、将来の共同研究のためのネットワークを構築するのに役立っています。私たちは、国際会議や学術誌に論文を書いて発表する際に、お互いに助け合いました。私は多くのことを学びましたし、今も学び続けています。

彼は今、自身に与えられた才能を惜しみなく発揮し、これまでに得た知識を多くの人たちに分かち合い、2005年に未来の自分に課した約束を果たしている。

SEED-Netは、2001年から2022年までの約20年の協力を通じて延べ1,400名を超える若者たちに高位学位取得のための留学の機会を提供してきた。その1人ひとりがジェイアール氏のように留学先で多くの仲間に出会い、域内の近隣国や日本の研究者、あるいは、日々の生活の中で出会う大学内外の人たちとネットワークを構築している。ジェイアール氏が作った人的なネットワークが、SEED-Netの学位取得支援プログラムで支援した人数分積み重なると考えると、このプロジェクトが作り出したネットワークの壮大さとインパクトの大きさは計り知れない。

コラム④　私とSEED-Net

タイ・チュラロンコン大学
電気工学部　准教授　スパワディ・アランビット

私はSEED-Netのフェーズ1からフェーズ4まで約20年間関わってきたが、この間の印象深い事柄について感想を述べることを光栄に思う。私は2003年、当時SEED-Netで取り組んでいた共通教育ツールの開発事業である「ITコースウェア・プロジェクト」で初めてSEED-Netに関わり、その後、チュラロンコン大学における電気電子工学分野の分野コーディネーター（2005～2008年と2010～2021年）として関わった。さらには、2007年から2009年の間はSEED-Net事務局の副事務局長を務め、プロジェクト全体のマネジメントに参画した。

ご存知のように、SEED-NetはJICAが支援する多国間プロジェクトの中でも最も重要なものの1つであると認識している。初期の段階での支援プログラムには、若手教員が留学するための奨学金（学位取得プログラム）、メンバー大学の学術ネットワーク構築、学術交流、教員の交流、共同研究プロジェクト、地域会議などの総合的な支援が含まれていた。これらは、ネットワークに参加する教員や学生に大きな影響を与えた。私は、修士・博士課程学生の指導教員、共同研究プロジェクトの研究代表者、産学連携推進に関する研修への参加者、地域学術会議の主催者などの役割を担う機会があった。学位取得支援プログラムでは、チュラロンコン大学において、インドネシア、ラオス、カンボジア、ミャンマー、ベトナム、フィリピン出身のSEED-Net修士学生6名と博士学生5名の研究指導にあたった。卒業生は全員、それぞれの母国で教員としてキャリアを積んでいる。

産業界との共同プロジェクトは、産業界の抱える実際の問題を踏まえて、大学が学術的観点から産業界の活動に協力する必要がある良い取り組みである。私自身は、「高速ワイヤレス通信システムによるビデオベースのセキュリティと環境モニタリング」というタイトルの共同研究プロジェクトを2フェーズ（2013年～2016年）にわたって担当した。このプロジェクトは、北海道大学、大阪大学、フィリピン大学ディリマン校、バンコク・データコム社の共同研究であり、論文、特許、ハードウェアプロトタイプ、企業への知識移転の面で良い成果を上げることができた。2014年の豊橋技術科学大学での産学連携に関する集中研修と日本企業訪問は、産学連携をいかに成功させるかについて学ぶものであった。

共同研究プロジェクトから得た教訓は、(1) 強力なネットワークと献身的な姿勢が成功と持続可能な共同研究につながる、(2)研究交流と遠隔での協働が可能であることが証明され、プロジェクトにとって重要な成功要因となった、(3) 産業界の巻き込みと産業界の役割への理解が不可欠である、(4) SEED-Netの共同研究プロジェクトは、産業界との国際的な連携をリードする機会・枠組みを提供する、という点であった。

知識の共有と普及、ネットワークの強化のためのもう1つの不可欠なプラットフォームは、分野別セミナー /地域学術会議の開催である。チュラロンコン大学電気工学科は5件のセミナーや地域学術会議を主催する機会を得たが、いずれのイベントも多くの研究成果の発表と数百人の学生の参加を得て開催された。

SEED-Netフェーズ4においては、外部パートナー（アセアン以外の関係機関）との共同研究プロジェクトなど、いくつかの新しい支援プログラムを用意されている。この支援プログラムは、タイとアフリカのユニークな連携を支援するもので、私は、ケニアのジョモ・ケニヤッタ農工大学との間で「スマート農業のためのAIベースのビデオ解析」と題した共同研究プロジェクトを実施している。主な研究活動は、牛の熱の検出と乳質の分類で、博士課程学生の共同指導、オンラインでのPythonによるプログラミング、ソフトウェアプロトタイプに関する成果が期待されている。

最後に、SEED-Netを支援してきたJICAプロジェクトと、東南アジア、日本、そして最終的にはアフリカのメンバー大学を含め20年間の長期間の多国間支援プロジェクトを開始した日本政府の構想に、心から感謝したい。私は、このネットワークにプロジェクトの最初から最後まで携わった者として、そのプロセス、効果的なプログラム管理、ネットワークの構築と拡大、そしてその結果としての成果とインパクトを目の当たりにしてきた。人材育成に投資し、それを持続可能なものにすることは難しく聞こえるかもしないが、SEED-Netは意図した成果をすべて達成したと信じている。これは、このネットワークに関わってきた人たちの足跡を残すことになる。種（SEED）は無限に育っている。

SEED-Net運営委員会の会場にて。真ん中が筆者（スパワディ氏）。右から2番目が梅宮

第3章

カンボジア工科大学（ITC）の発展

SEED-Netは、その協力を通じてメンバー大学の教育・研究能力の向上に大きなインパクトを与える。SEED-Net設立当初からプロジェクトに最も積極的に参画したメンバー大学の1つであり、この20年間に飛躍的にその価値を向上させた大学がある。それがカンボジア工科大学（ITC）である。

ITCはカンボジアの工学教育を牽引する工科系のトップ大学だが、前述のとおり、SEED-Netを開始した2001年当時、ITCの教員のうち修士号を取得している者はまだ30%、博士号を取得している者は7%に過ぎなかった。高位学位取得を通じた教員の育成を喫緊の課題と認識したITCの幹部は、この20年に及ぶ事業期間を通じて、延べ300名を超える優秀な若手教員や教員候補の卒業生を計画的にSEED-Netの学位取得支援プログラムに送り込み、教員を育成した。さらに、アセアン10カ国にまたがる広域協力事業であるSEED-Netを補完するため、別途、ITCのみを対象とした教育・研究能力の向上を図る二国間協力事業を日本政府・JICAに要請。SEED-Netで学位を取得して帰ってくる教員を核に、2つの事業を組み合わせ、教育・研究活動を拡充していくのである。

ITCの幹部たちには一貫して、この国の教育をなんとかしたいという並々ならぬ情熱と決意、それから、先を見据えた冷静な戦略と計画があった。自らフランスや日本の大学に留学し教育を受けていた彼ら幹部たちは、一流の大学が一朝一夕にできないことも身に染みてわかっていた。ただでさえ数が足りていない教員を海外留学に送り出すことは、残った教員の負担を大きくし、一時的にはITCの教育・研究の質を下げることになる。しかし、ITCの将来のためには、一時的な痛みを伴ってでも若手教員を育てないといけないと考え、計画的に若手教員を留学に送り出した。そして、帰ってきた彼らを中心に、まず学部教育を改善し、さらに修士課程、博士課程を作っていく。もし彼らの戦略と計画が不十分なもので、大学づくりの手順を間違っていたなら、今のITCの発展はなかっただろう。

本章では、SEED-Netを出発点に他のJICAとの協力事業をうまく組み

カンボジア工科大学管理棟正面。カンボジア国内の工学系高等教育の中核大学である

合わせ、自大学を強化した事例として、ITCの歩みを関係者の奮闘を交えて紹介する。

1. カンボジアの高等教育

教育の空白時代を経て

ITCはSEED-Netが設立された2001年からの構成メンバーである。その関わりを見る前に、少しだけカンボジアの高等教育とITCの歴史を振り返ってみたい。

近代のカンボジアで最初に設立された大学は、フランスの植民地時代の終盤、1947年に設立された国立法科大学、国立政治大学、国立経済大学の3校である。その後、1953年に独立を果たしたカンボジアは、1960年に最初の大学としてクメール王立大学（現在の王立プノンペン大学）を設立。これに続き、1960年代に王立技術大学、王立芸術大学など6つの大学が設立された。この王立技術大学が現在のITCの前身である。よってITCは、王立技術大学ができた1964年を設立年とする。当時、王立技術大学の建物は旧ソビエト連邦の支援によって建設された。

こうしてカンボジアの高等教育セクターは発展に向けた入り口に立つが、その直後、1970年代に入って大きな不幸に見舞われた。1975年に武装組織クメール・ルージュが主導するポル・ポト政権が誕生。すべての教育システムが廃止され、また、多くの知識人が虐殺されたのである。ポル・ポト政権によって、75%の大学教員と90%以上の大学生が虐殺されたといわれている。その後1979年に旧ソビエト連邦の支援を受けた政権が誕生し、このなかで社会主義圏の旧ソビエト連邦やベトナムの支援を受けながら大学教育が再開された。当時は旧ソビエト連邦から派遣された200名を超える教員が教鞭をとっていて、すべての授業がロシア語で行われていたという。

しかしながら、再びカンボジアは内戦に陥る。1991年にパリ和平協定が締結されたことでようやく平和が訪れ、復興への道のりが始まり、ITCを含む国内の大学も国の発展のためにその役割を果たすべく歩みを再開するのである。

しかし、その道のりは非常に険しいものであった。長く続いた内戦によって国の経済は疲弊し、高等教育機関に国が割ける資源は限られていた。また、ポル・ポト政権による知識層の虐殺は、大学の復興に大きな影を落としていた。大学の復興を牽引する人材が大幅に不足していたのである。

こういった状況の中、ITCは2001年にSEED-Netに出会う。

既述のとおり、SEED-Netを開始した2001年時点で、ITCの教員のうち修士号を取得している者は30%、博士号を取得している者は7%のみであった。ITC幹部にとって、教員の高位学位取得を通じた育成は何にも優先して取り組むべき課題であり、SEED-Netに参画することは、この課題を解決するための最善の選択肢であった。SEED-Net設立前の2001年3月に開催された暫定運営委員会において、間もなく開始されるSEED-Netの活動計画が議論された際、ITCのカンボジア人副学長は学位取得支援プログラムの枠の割当に関し、「カンボジアを含むメコン地域の大学教員は学位取得が重要な課題であり、そのチャンスを優先的に割り当てて欲しい」との要望を出し、会議の賛同を得ている。

応募は優秀な教員・卒業生に限る

やがて、2008年にITCの学長となり、今日までITCの発展を牽引してきたのがロムニー前学長である。ロムニー氏自身、1990年代前半、和平が成立し新生カンボジアが誕生した時に、文部科学省の国費留学生として日本の大学に留学している。その後、北見工業大学で博士号を取得しており、異国で学ぶことの意義を、身をもって認識している。そのうえ大の親日家でもある。

「1990年代を通じてカンボジア社会は平和と安定を得た。それに伴いITCの再建が始まったが、特に教員が不足していて、フランス、ベルギー、カナダなどから来た外国人教員に依存せざるをえなかった。カンボジア人の教員の育成こそがカンボジア社会の発展に向けた最大の課題であり、ちょうどそのタイミングでSEED-Netに参加することができた」と当時を回顧する。

SEED-Netを通じて、日本や東南アジアの近隣諸国のトップ大学との間に協力関係を構築してITCを国際化し、国外で行われている最先端の研究成果に触れ、また、それらの大学と協働することで教育・研究の質を高めることはITC幹部が目指す方向と完全に合致していた。ロムニー前学長は「ITCの当時の教授言語はフランス語だった。しかしながら、アセアンの一員でもあるカンボジアの将来を考えたときには、英語を共通語として話せる人材も育てないことには、諸外国の大学とスムーズに活動が進められなくなる。したがって、フランス語圏だけでなく、英語で教育が受けられる国の大学にも教員を派遣していくべきと考えた。教員陣に多様性を持たせようとしたのである」と当時の戦略について述べている。

SEED-Netを通じ、いかに教員を計画的に養成していくか——ITC幹部は、優秀な教員や学部教育を優秀な成績で卒業した卒業生を、順次SEED-Netの学位取得支援プログラムに送り出していった。この「優秀な教員・卒業生」という点がポイントとなる。学位取得支援プログラムの応募に際しては、送り出し大学の推薦状とともに、学士課程においてトップ10%の成績を修めていることが条件とされた。したがって、どこのメンバー大学からの応募者も基本的に優秀な者が多かった。なかでもITCは、特に優秀な者の選抜に拘った。結果、日本やアセアンのホスト大学では、ITCから派遣される学生は優秀だという評判が広まり、是非受け入れたいというホスト大学が増えていった。結果としてITCは、多くの教員・学生を学位取得支援プログラムに送り出すことに成功したのである。「SEED-Netが始まった当時、アセアンのメンバー国同士といってもお互いのことを知らなかった。最初、SEED-Netで他国メンバー大学から留学生を受け入れる役割のホスト大学は、ITCの教員・卒業生の質について懐疑的だった。しかし、ITCは最初に派遣する教員に敢えて最も優秀な2名の教員を選び、彼らが留学先で非常に高いパフォーマンスを発揮したことで、ホスト大学がITCを

巧みな戦略と誠実な人柄でカンボジア工科大学の発展に大きく貢献したロムニー前学長

カンボジア工科大学が連携協定を結ぶ国内外の大学や企業。日本やSEED-Netのメンバー大学の名前も見える

認め始めた」とロムニー前学長は語る。ITCの思惑どおりの結果となったのである。また、帰国した留学生は、留学先の大学と継続的な関係を維持し、帰国後、両大学間の懸け橋になっていく。ITCは2016年にタイのモンクット王工科大学ラカバン校、2020年にチュラロンコン大学とカセサート大学、2021年にはインドネシアのバンドン工科大学とそれぞれ連携協定を結び、共同研究活動を実施している。いずれもSEED-Netの学位取得支援プログラムのホスト大学であり、各大学から帰国した留学生が核になりこれら連携が実現しているのである。この点でも、ロムニー前学長の思惑どおりの結果が生まれているといえる。

卒業生が続々中央政府へ

2001年以降、ITCからSEED-Net学位取得支援プログラムに多くの教員・卒業生が派遣され、そのうちの多くが帰国しカンボジアの発展のために尽力をしている。その中には、第2章で紹介したイノベーション省のセインヘン総局長もいる。2022年3月末でITCを引退したロムニー前学長の後任として、4月から学長を務めるポー氏もその1人である。ポー学長は、SEED-Netが本格始動した2002年の修士号取得支援プログラムの第1期生で、ロムニー前学長が戦略的に送り出した最初の優秀な教員の1人である。彼は、タイのチュラロンコン大学工学部に留学した。修士号取得後、一度ITCに戻り教壇に立つが、再びSEED-Netの本邦博士号取得支援プログラムに応募。2005年から2009年まで、東京工業大学の高田潤一教授の研究室に留学し、その後2012年に博士号を取得する。その後、ITC内の要職を歴任した。ちなみに高田教授は、東京工業大学の副学長を務めた経験を有し、後述するITCを支援するJICAプロジェクトのチーフアドバイザーも務める人物である。高田教授とポー学長の間に結ばれた強い師弟関係に基づいて、両国間の協力が進められているのである。

教育省の高等教育総局で副総局長を務めるレイ氏も、SEED-Net学位取得支援プログラム卒業生の１人である。レイ副総局長は、2004年にITCの学部課程を卒業した直後、2004年にSEED-Netの修士号取得支援を得て、インドネシアで機械・航空工学分野のホスト大学を務めるバンドン工

2022年にカンボジア政府から勲章を授与された際にポー学長（右）から花束を受け取る高田教授（左）

科大学に留学する。バンドン工科大学で「ディーゼルエンジンのジャトロファ油の燃焼・耐久性」をテーマに修士論文を仕上げ、2006年に修士号を取ると、今度は文部科学省の国費留学生制度の奨学金を得て京都大学の博士課程に留学し、見事2010年に博士号を取得する。

レイ副総局長はバンドン大学の修士課程に留学中に、京都大学で博士号を取得した別のSEED-Net卒業生に京都大学の教授を紹介され、SEED-Netの短期本邦訪問プログラムで同教授を訪問したことがきっかけとなり、京都大学に留学することになった。帰国後は、ITCの産業機械工学科の教員として教育・研究活動を牽引していたが、その優秀な手腕がカンボジア政府に認められ、2017年に教育省の今のポストに引き抜かれた。

カンボジアをはじめとする東南アジア諸国では、このように大学教員が関連省庁に引き抜かれ、高等教育行政や科学技術行政に携わることがよくある。特にITCのようなトップ大学の教員で博士号を持つ優秀な者は、カンボジアの中央政府にとっても非常に貴重な高度人材である。結果として、SEED-Netは、域内メンバー大学だけでなく、各国の高等教育の発展、科学技術の振興全体にも大きなインパクトをもたらすことになった。

SEED-Netを通じて本邦大学や日本の関係者と強いつながりを持つ卒業生が、ITCというカンボジアのトップ大学や中央政府の幹部として活躍している。こういったカンボジアのリーダーに知日派・親日派が増えることは、日本にとっても貴重なアセットとなる。

また、教員の育成以外にもSEED-Netは様々なインパクトをITCにもたらした。留学から帰国した教員たちは、留学先で構築したネットワークを活用しながらSEED-Netの共同研究プログラムに応募し、19件の共同研究を実施している。「この共同研究が、卒業生と留学先大学とのネットワークをさらに強固なものにし、また、彼らの研究能力を高め、研究から得られる知見がITCの学生たちに共有され、教育の質を高める結果になっている」とロムニー前学長は胸を張る。

2. 対象3学科で学部教育の質を改善

JICA調査団がカンボジアへ

2010年夏、日本政府とJICAは、カンボジア政府からSEED-Netとは別のITC支援の要請を受領する。これを受け、JICAのカンボジア担当課から高等教育事業担当課の梅宮のところに、「一度、カンボジアに行き、要請内容の詳細を確認し、協力の必要性・妥当性を判断するための情報収集をしたい。ついては調査団に参加してもらいたい。また、カンボジアの工学教育に知見を持つ大学教員にも参加してもらいたいが、誰が良い人はいないか」と相談が入った。上司で課長であった小西に話をもっていくと、「行ってこい」と素早い判断。大学教員については、SEED-Netのチーフアドバイザーで、当時、客員でJICA国際協力専門員も委嘱していた豊橋技術科学大学の堤和男教授が最適任だろうという意見で、小西・梅宮ともに一致した。かくして2010年も年の瀬の12月下旬に、堤教授、梅宮、カンボジア課担当者の3人でプノンペンに飛んだ。

調査団は、ITCでロムニー学長（当時）をはじめとする関係学科の幹部教員と合流。鉱工業エネルギー省、在カンボジア日本大使、カンボジアの高等教育・技術教育分野を支援する世界銀行やアジア開発銀行のカンボジア事務所の他、現地に進出する日系企業の事務所、フランス資本の現地エンジニアリング会社やカンボジア電力公社などを訪問し、産業界側の人材ニーズも確認した。

調査・協議の結果、調査団は以下の結論を得る。

まず、カンボジアに進出する日系企業の中には、低賃金の単純労働者だけでなく、現地法人や工場の幹部として活躍できる人材の現地採用を考える企業が増えており、今後も増えることが予想される。さらに、カンボジアの民間セクターの自立的な発展のためにも、中長期的にエンジニアレベルの人材のプールを確実に作っておくことが必要不可欠である。

次にITCについては、協力の成否の鍵を握る技術移転の対象人材として、SEED-Netを通じて多数の教員の育成が進んでおり、ここに教育・研究用機材の供与や本邦教員による技術指導の追加的投入を行うことで、費用対効果の高い協力を実施することができる。実際、SEED-Netにより教員の育成が進む一方で、帰国した教員が留学先で得た知識をフルに生かすための教育・研究環境が整っていないことが課題となっていた。

これがITCロムニー学長（当時）とJICA調査団が出した答えであった。この調査結果を日本政府に報告した結果、日本政府はカンボジア政府からの協力要請を正式に採択。2011年度からプロジェクトを開始することが決定し、カンボジア政府に通報がなされた。

SEED-Netの分野幹事大学をそのまま支援大学に

次は、JICAとしてプロジェクトの事業計画をデザインしなければならない。支援する分野は、調査の結果、電気工学、機械工学、地球資源・地質工学に定めた。

まずは、プロジェクトを支援してくれる本邦の大学を探さないといけない。日本国内の支援体制をどう組むか。小西と梅宮は、SEED-Netの枠組みを使わない手はないと考えた。ITCの各学科の若手教員の多くが、SEED-Netを通じ日本やアセアン他国の大学に留学をしている。なかでも日本に留学し博士号を取得したITCの教員が、今回のプロジェクトでは中核的な役割を果たさないといけない。彼らは、留学した先の本邦大学の先生とは強い師弟関係にあり、信頼の絆で結ばれている。これら3分野のSEED-Netの本邦幹事大学に、今回のプロジェクトの支援大学になってもらうのがベストだと考えた。

小西と梅宮は、6月に電気工学分野の幹事校であり、機械工学分野でもカンボジア工科大学の複数の若手教員を博士課程に受け入れてきていた東京工業大学、地質・資源工学分野の幹事校である九州大学と面談。プロジェクトへの参画と、その詳細計画を検討するために7月に現地に派遣する調査団への同行を依頼した。

いずれの大学も非常に前向きな反応であった。打診先はいずれも日本を代表する研究大学である。正直、ITCの当時の研究水準を考えると、ITCに協力するメリットは少なくとも短期的には薄かった。ましてや、今回の協力内容は学部教育の強化である。研究協力であれば、分野によっては国際共同研究が成立し、本邦大学教員にも研究上のメリットが生まれるが、今回はそうではない。それでも各大学が前向きに考えてくれたのは、SEED-Netを通してITC教員と強い人的なつながりができていたからである。特に、自大学の研究室を卒業したITCの若手教員は、自分たちの「子ども」のようなものである。自分たちの子どもが帰国後に苦労しているなら一肌脱いでやろう、そういう心意気でプロジェクトへの参画を決めてくれた教員が多くいた。

かくしてJICA本部は、2011年7月に東京工業大学、九州大学、北海道大学の教員から構成される調査団を現地に派遣し、プロジェクトの詳細事業計画をITCと協議・決定した。総勢7名。電気工学、機械工学、地球資源・地質工学の各分野の専門家と梅宮で構成された調査団である。

各分野の専門家によって学部教育のシラバスを詳細に確認した結果、特にカリキュラム・シラバスでは実験・実習を取り入れた実践的な学部教育を謳（うた）っている一方で、そのために必要な施設・機材が揃っておらず、また、教員も指導に必要なスキルを十分に持っていなかった。SEED-Netを通じて、多くの教員が修士号・博士号を取得してITCに戻ってきていたが、博士号を取得すればすぐに質の高い講義が実施できるわけではなかった。博士課程はもっぱら研究についてのスキルを磨く場所であって、講義の手法を毎日学ぶわけではないからだ。

そこでITCと協議の結果、より実験・実習に重点を置いたシラバスに改訂すること、教員が活用する実験指導書を作成すること、本邦教員による

JICAにより供与された機材で学ぶカンボジア人学生

モデル講義や教員向け研修（大学では「ファカルティ・ディベロップメント活動」という）を通じて、若手教員の教授法をより実践を重視したものに向上することを決定した。これらの活動によってITCの対象3学科の学部教育の質を改善しようとしたのである。あわせて、JICAの無償資金協力事業によって、対象3学科で実験実習を行うために必要な機材を供与していった。

この協力はITCにとって時宜を得たものであった。SEED-Netで日本やアセアンの他国のトップ大学で博士号を取って戻ってきた若手教員は、自分たちが学んできたことを活かしてITCの教育と研究のレベルを良くしたいという意欲に満ちていた。しかしその専門知識を生かせる環境がなかった。そこに、必要な機材と、日本の教員による技術支援が入ったのである。

ITC教員と日本人教員の協働作業の結果、2015年10月のプロジェクト終了までに以下が達成された。

・対象3学科のすべての実験・実習の時間数が増加。平均すると約150時間増加した。

・新規に機材が導入されたすべての科目で実験指導書を作成。

・モデル講義や本邦研修を通じて、教員が効果的な実験実習にかかる教授法について新しい知識とスキルを習得。得られた知識は、学科の定例会議や、教員によって開催されるプレゼンテーション・セッションを通じ学内に広く共有。

2015年に実施されたプロジェクト終了時の評価調査では、ITCにおいて、改訂カリキュラムに即して実験・実習時間が増加したコースワークが実践されていること、教員によって教えることのできる科目・トピックが増加した

日本の支援で建設された研究・イノベーションセンター

こと、向上した教授法を通じ学生の勉学意欲が喚起されたこと、が確認されている。

SEED-Netにおける留学を通じて高い専門性と研究スキルを手に入れて帰国した若手教員が、より良い教育の実践のための機材と教授法という「武器」を使って学部教育を大きく改善していったのである。

3. カンボジアの研究拠点へ

工学系大学院プログラムを開設

このようにITCは、JICAの協力を得てその学部教育の改善を進めていった。しかし、その取り組みは緒に就いたばかりであり、カンボジアの産業や社会が必要とする高度工学系人材を育成するためには、「大学院プログラム」を開設し、研究と教育を結び付けた人材育成を行う必要があった。

しかし、大学院の立ち上げには、一定の数・割合で、高位学位を保持した教員がいることが条件となる。繰り返しになるが、2001年当時、ITCの教員のうち修士号を取得している者は30%、博士号を取得している者は7%のみで、とても大学院を作ることはできなかった。しかし、SEED-Netを通じ、高位学位を取得し帰ってきた教員が年ごとに増えてきたことによって、徐々に大学院立ち上げの条件が整ってきた。

そして2010年、ついにカンボジアの歴史上初めての工学分野での修士課程が、土木工学分野において設立された。また、2015年には初の博士課程の設立に向け、修士・博士課程の運営に責任を持つ大学院を設置。その前後に順次、各分野での大学院プログラムが開設されていく。2022年2月時点までには、以下の8つの修士課程プログラムと5つの博士課程プログラムが開講された。

（修士課程）エネルギー技術・マネジメント工学、材料・構造工学、農業産業工学、水環境工学、コンピュータサイエンス、メカトロニクス・情報

通信工学、交通工学、データサイエンス
（博士課程）エネルギー技術・マネジメント工学、材料・構造工学、食品工学・栄養、水環境工学、メカトロニクス・情報通信工学

インドネシア・スラバヤ工科大学に学ぶ

ロムニー学長（当時）は、どうすれば質の高い大学院教育を実現できるかを日々考えていた。たどり着いた答えは、多くの本邦大学の理工系学部・大学院で導入・実践されていた「研究室中心教育（LBE）」の導入であった。

LBEとは、特定の研究テーマを追いかける教授や准教授をトップとした研究室において、ポスドク研究員、大学院生、学部生がチームとなって研究活動を行うことにより、研究を通じた実践的な教育を行う教育・研究体制のことである。チームで研究を進めることで、専門性や問題解決能力に加え、コミュニケーション能力やチームワークといったソフトスキルを備えた人材育成が可能となる手法として評価されている。

ところが、カンボジアの大学においてLBEを導入した例は1つもなく、自力でこれを導入するのは難しかった。そこで、ロムニー学長（当時）は導入の支援をJICAに要請した。一方のJICAは、ITCのLBE導入は時期尚早と考えた。ITCの教員が、LBEが何なのかを十分に理解しないとうまくいかない。そこで、2015年10月に終了した技術協力プロジェクトのフォローアップ協力として、ITC教員が本邦大学や過去にJICAが支援したインドネシアのスラバヤ工科大学でLBEの実施状況を学び、適用の可能性や前提条件の検討を支援することが適当と考えた。また、最終的には本邦教員をITCへ派遣し、本邦大学の視察に参加した教員をはじめ、より多くの教員を対象に「LBE講座」を開催することで、今後のITCでのLBE導入を支援することにした。

こうして、2015年10月に本邦大学、2016年1月にスラバヤ工科大学を

視察し、同年3月にカンボジアへ日本人教員2名の派遣を行い、LBE講座を実施した。本邦視察においては、教育省次官補、高等教育総局長、ITC学長など10名が来日し、東京工業大学と九州大学においてLBEの概要やモデルを学んだ。スラバヤ工科大学視察には、実際に研究室のリーダーとなるITCの各学科の教員7名が参加。過去に実施したJICAのLBEプロジェクトを先行事例として関係者と意見交換を行い、LBEの実践について理解を深めた。

他大学の工学教育の底上げを図る

フォローアップ協力によりLBE導入の準備が進められる中、再びカンボジア政府から日本政府に対してITCへの協力要請が届いた。LBEの本格導入支援のための技術協力プロジェクト、すなわち、フェーズ2への協力要請である。この要請は日本政府によりスムーズに採択され、2017年7月、JICA本部から梅宮を団長とする調査団がカンボジアに派遣された。

協議の結果、前のプロジェクトで対象とした電気工学科、機械工学科、地球資源・地質工学科に加え、情報・コミュニケーション工学科を加えた4つの学科において、教員と大学院生・学部生からなるLBEモデルチームを結成。各チームがLBEの体制のもとで研究を進め、LBEを導入・定着させていくことを確認した。

また、ITCだけが裨益(ひえき)するのではなく、国内の他大学も裨益するプロジェクトとすることが再確認された。すなわち、今回の協力はITCをハブにして、カンボジア国内の他の大学の教育・研究能力の強化を図るものにしようという決定がなされたのである。SEED-Netや前フェーズの協力を経て、ITCは国内トップの工科系大学としての地位を確立した。次は他大学の支援を行う番であった。

実際、他大学の工学教育の現状は厳しいものがあった。例えば、カンボジア第三の都市バッタンバンに位置するバッタンバン大学は、カンボジア北西部の拠点大学である。しかしながら、理工学系学科は科学技術学部の中にある情報技術学科、土木工学科、数学科の3学科のみで、正規教員はわずか12名。博士号を持つ教員はゼロ、修士号を持つ教員が4名という状況であった。また南東部の拠点大学であるスバイリエン大学も、理工学系学科は科学技術学部の中にあるコンピューター科学科と数学科のみであり、正規教員14名のうち博士号を持つ教員はゼロ、修士号を持つ教員が13名であった。

一方で、カンボジア政府は、各地方においても工業化を進めたいとしていたが、どの大学もそれを支える人材を育成・輩出するキャパシティを有しておらず、その拡充が喫緊の課題であった。例えばプノンペンにある王立プノンペン大学も、2014年に工学部を新設し、情報技術工学科、通信・電子工学科、バイオ工学科の3つの学科を有していたが、やはり正規教員は14名という限られた体制で、その中で博士号を持っている教員は3名、残りは修士号のみという状態であった。

そこで本プロジェクトでは、ITCの修士課程にLBEを導入し、その研究・教育能力を向上するとともに、バッタンバン大学、スバイリエン大学、王立プノンペン大学の3大学の教員もしくは教員候補者の中から将来性のある者を選抜し、ITCに「国内留学」させ、LBEチームに参加させることにした。さらには、卒業後それぞれの大学に戻った教員を支援し、各大学でのLBE導入を推進。ITCが中心となり、これら3大学と共に各分野における国内学会の設立の準備を進めることにした。こうして、ITCがカンボジア国内の他の3つの主要大学とネットワークを構築し、工学教育全体の底上げを図る体制が整備されたのである。SEED-Netという国際的な大学間ネットワークにカンボジアを代表して参画するITCが、今度は国内の工学系大学のハブとして国内大学のネットワークを構築し、SEED-Netの成果を国内他大学に還元する構図が出来上がった。

同時に、産学連携オフィスを強化し、同オフィスを通じてITCと産業界との連携を進めることについても合意がなされた。産学連携オフィスが、ITCの研究シーズおよび研究能力を提示する資料やデータベースの整備、特許申請のガイドラインの策定、第5学年時の学部生の民間企業でのインターンシップの推進を、LBEを導入する研究室とともに進めることにした。

その後、新型コロナウイルス感染症の拡大等によって大きな影響を受けながらも、この計画に基づき着実にプロジェクト活動が実施されている。その中心にいるのはSEED-Netであり、日本やアセアン他国の大学に派遣され専門性を磨いて戻ってきた若手の教員たちである。また、彼らの活動を常に支えているのは、SEED-Netを通して彼らと強い絆で結ばれた本邦大学の教員たちである。

トンレサップ湖を救え

工学分野の大学教員にとって、より質の高い教育を行うためには自らが研究活動を継続する必要がある。SEED-Netで博士号を取得し、ITCに戻って教鞭を執る若手教員にも研究活動の継続が期待された。しかしながら、肝心の研究費が十分ではなかった。SEED-Netでもそうした研究活動継続のためのプログラムを用意しているが、予算規模は十分とはいえなかった。メンバー大学自身の自立的発展のためにはSEED-Net以外のところでも活動資金を捻出する必要があり、競争的資金を獲得するための厳しいチャレンジが求められた。

2014年のある日、バンコクのSEED-Net事務局で副チーフアドバイザーをしていた小西のところに、ある人からメールが届いた。メールの送り主は、科学技術振興機構（JST）シンガポール事務所の担当者で、用件は「地球規模課題対応国際科学技術協力プログラム（SATREPS）」のメコン地域、特にカンボジアでの新規事業の開拓に関する相談であった。

SATREPSとは、JSTがJICAと共同で実施している事業で、地球規模課題の解決と科学技術水準の向上につながる新たな知見や技術の獲得、日本と開発途上国との国際科学技術協力の強化、そして途上国側の研究機関の研究能力を高めることを目的とした、国際共同研究スキームである。日本の大学や研究機関と途上国の大学・研究機関の両者が合同で申請書を提出し、厳しい審査を経て支援事業が決定される、日本政府による競争的研究資金の1つである。

当時、日本政府は「地球儀を俯瞰する外交」を謳い、首相自らが世界を飛び回って首脳外交を展開していた。東南アジア地域においても、2015年のアセアン統合に向け日本政府は重点的に支援を打ち出していた。これに呼応すべく、政府機関であるJSTにおいてもSATREPSのアセアン全加盟国での展開を目指していた。開発途上国を支援するという予算の性格から政府開発援助（ODA）の対象外であるシンガポールとブルネイを除き、アセアン加盟国でSATREPS事業を実施していないのはカンボジアだけであった。SEED-Netを活用して、何とかカンボジアで新規事業が実施できないか、という相談であった。

小西の頭にはすぐにITCの若い研究者の姿が浮かんだ。数日前にSEED-Netの広報活動の一環としてITCを訪問し、SEED-Netで博士号を取得して教員として頑張る彼らと話をしたばかりであった。彼らの専門分野は環境工学。研究指導は東京工業大学の教員から受けていた。早速、小西はITCのロムニー学長（当時）をはじめとする若手教員、そして東京工業大学の教員に連絡を取った。

が、ITC側の最初の反応は今ひとつであった。理由を聞くと、前年度に苦労してSATREPSの申請書を作成し提出したのに不採択になっており、その苦労が報われなかったとのこと。再度、無駄になるであろう作業はしたくないとのこと。小西も気持ちはわからないではなかったが、今回はチャンスである。もちろん公的な競争的資金である以上、公平な審査が行われるのは論を待たないが、JSTが「カンボジアでの案件を採択したい」と考えていることが追い風となる。渋るITC関係者を説得し、東京工業大学で彼らの博士課程の研究指導をした教員にも共同研究への申請検討を依頼した。JSTシンガポール事務所の担当者にも声がけをし、バンコク、東京、シンガポールそれぞれの地からプノンペンに飛び、ITCとの協議に臨んだ。

ITCで協議をした若手教員の1人が第2章で登場したセインヘン氏であったが、日々の業務ですでに多忙であり、さらに研究活動を始めるには強い覚悟が必要であった。それでも、SEED-Netから他の事業に研究活動を展開していくことの重要性に共感し、SEED-Netで培ったネットワークを踏まえ、母国の環境問題解決のための共同研究に取り組むことの意義を重要視してくれた。

その後セインヘン氏は、同じくSEED-Netを通じて東京工業大学で博士号を取得したフィデロ氏など仲間の若手教員と共に申請書を書き上げた。それは、カンボジアにあるトンレサップ湖の水質の悪化や生物資源の減少に対応すべく、湖の水理・水質モデル（水環境解析ツール）を開発し、健康リスクや生態系リスクに着目した環境保全案を示す研究計画であった。トンレサップ湖の環境保全計画は、彼らが博士課程の研究指導を受け

SATREPSの研究計画検討のためにITCの研究室で議論をする東京工業大学・吉村千洋准教授（当時）（左端）、セインヘン氏（右端）とフィデロ氏（右から2人目）。左から2人目の女性もSEED-Netで博士号を取得したITCの若手教員で共同研究に参加した

た東京工業大学との共同研究として結実し、ITCの研究能力のさらなる向上の機会となった。

何がITCを、カンボジアを変えたのか

これらの協力を経て、カンボジア工科大学の教育・研究能力はこの20年間で飛躍的向上を遂げた。これは、ロムニー前学長をはじめとするITC教職員の努力の賜物である。また、ITCとともにJICAは、2001年開始のSEED-Netで若手教員の修士課程や博士課程への留学支援を通じて教員の育成と大学間ネットワークの構築を行った。それと並行して、戻ってきた若手教員を対象に、実験実習を取り入れた学部教育の強化を技術協力プロジェクトと無償資金協力プロジェクトで支援し、さらに後継の技術協力プロジェクトとSATREPSプロジェクトによって、LBE導入を通じた修士課程の整備と研究能力の向上を支援した。このように、戦略的・段階的に各ステージでITCに必要な協力を展開してきたことが実を結んできたといえる。

SEED-Netだけでなく、ITCへの技術協力プロジェクトのフェーズ1とフェーズ2の両方に、当初から国内支援委員長として関わってきた九州大学の渡邊公一郎教授（現・JICA国際協力専門員）は、フェーズ1終了時の評価調査に参画した際の報告書に次のような所感を寄せている。

「SEED-Netを含めると12年ほどITCに関わってきた。本事業に先立って始まったITCの文化無償資金協力プロジェクトを皮切りに、引き続き『カンボジア工科大学教育能力向上プロジェクト』に加わってほぼ5年が経過した。この間に、地球資源・地質工学科を対象として、同学科のシラバス・実験指導書の改訂、教授法の改善、実験用機材の適切な活用方法の指導等を行うとともに、国内支援大学における本事業支援教員の依頼交渉をはじめ、機材の選定に関するアドバイス、学会設立の提案、新規研究費獲得のための戦略等、様々なレベルでITCの若手教員と関わってきた。それらの支援活動を通していつも脳裏をよぎるのは、この国が経験した未

2012年にITC一行が関係機関・大学との協議のために来日。滞在中の休日に訪問した浜離宮にて（左から、小西、梅宮、ポー学長（2022年4月から学長）、サコナ理事長兼文化・芸術省大臣、ロムニー前学長（2022年4月まで学長））

曾有の悲惨な歴史と、新たな国づくりに挑戦する若者たちのひたむきな姿であった。若いITC教員に接するたびに、自分は何かをせずにはいられない。自分の時間や能力には限界があるが、そのなかでできることをしてきたつもりである」。

ITCの教員のひたむきさに心を動かされたのは渡邊教授だけではない。彼らのひたむきさが多くの人の心を動かし、ITCを変え、カンボジアという国を変えてきている。

コラム⑤ さらなるコラボレーションのための SEED-Netのつながり

バンドン工科大学 機械・
航空宇宙工学部顧問・元教授　ジョコ・スハルト

小西さんからメールで、SEED-Netが2023年に第4フェーズで終了し、22年間の活動に関する本を出版する予定であることを知らされ、コラムを書かないかと声がけをいただき、大変光栄に思い、SEED-Netとの関わりを思い出してみた。

SEED-Netは、1997年の日ASEAN首脳会議で橋本元首相が、そして1999年のASEAN+3首脳会議では小渕元首相が言及し、アセアン諸国の工学分野の人材育成を促進する目的で開始したものである。JICAがSEED-Netを開始すると発表したとき、私はバンドン工科大学の産業工学部の学部長を務めており、私がSEED-Netにおけるバンドン工科大学の代表を務めることになった。

フェーズ1が始まる前に約2年間の準備期間があった。チュラロンコン大学が事業全体の運営・調整を担う役割を持つ事務局に選ばれた。事業の運営にあたりアセアン事務局やAUN事務局、メンバー大学、JICAなどの代表から成る意思決定機関としての運営委員会が設置されたが、私はアセアンの関係機関やJICAからの推薦により運営委員会の初代委員長への就任を依頼され、本当に光栄に思ったことを覚えている。また、2001年に小西さんやチュラロンコン大学の工学部長、国内支援大学の先生と一緒にミャンマーを訪れ、ミャンマーのメンバー大学の仲間たちとSEED-Netへの参加について話し合った。当時、同じアセアンのメンバーといえど、ミャンマーを訪問するということはなかったのでユニークな経験として記憶に残っている。

SEED-Netの活動が進むにつれてその成果も見えてきた。バンドン工科大学は機械工学と航空工学分野の域内修士・博士号取得プログラムをホストすることになり、初めてカンボジア、ラオス、ミャンマー、タイ、ベトナムから留学生を受け入れた。同じインドネシアのガジャマダ大学の学生も受け入れ、これらの留学生に対して日本の慶應義塾大学の先生と一緒に研究指導を行った。同時に、マレーシア、シンガポール、タイ、そしてもちろん日本にも、いくつかの分野で若手教員を留学生として送り込んだ。また、2003年の夏には、マレーシアのマラヤ大学の学長からの招へいにより、クアラルンプールに客員教授として1カ月間滞在する機会を得た。

2002年からは私は学部長ではなくなったので、バンドン工科大学の代表は新しい学部長が担当することになったが、それでも私はバンドン工科大学でのプロジェクトの活動進捗をフォローしていた。アセアン内や日本とアセアンの大学同士の学術ネットワークが形成されてきたことは大変喜ばしいことである。SEED-Netは、種まき（フェーズ1）、芽吹きと開花（フェーズ2）、そして最後に大きな木となって実を結んだ（フェーズ3）。この22年の間にフェーズが変化してきたが、日本のアカデミックアドバイザーの助言を受けて策定された素晴らしい事業戦略によりプロジェクトの運営がなされてきた。現在、プロジェクトはフェーズ4にあるが、私はこの先も継続すべきだと考えている。SEED-Netの活動は、フェーズ1で始めた若手教員を対象にした大学院留学の促進を中心としたプログラムから、共同研究、分野別セミナー、研究発表、『ASEAN Engineering Journal』の発刊、日本やアセアン諸国への短期訪問、日本人教員のメンバー大学への派遣、学位取得支援プログラム修了生への研究助成、修了生間のネットワーク形成などにも広がってきている。私自身のいくつかの国際協力の経験から見ると、SEED-Netは良く計画され、うまく実施されたプロジェクトであるという印象を持つ。SEED-Netの木は成長し、実を結び、メンバー大学や地域社会に大きな影響を及ぼしている。SEED-Netは、アセアン、そしてアセアンと日本のさらなるコラボレーションのための基盤となるべきである。今後、名称や事業スキーム、戦略、実施方法、財政支援機関が変わってもコラボレーションの精神は変わらない。

2001年7月にミャンマー・ヤンゴン工科大学を訪問し活動計画の協議を行った。前列左端が筆者（ジョコ氏）。後列左端は小西

第 4 章

SEED-Net のアセットを次世代の教育に活用

SEED-Netは日本のODA事業であり、一義的には途上国社会の開発のための事業である。それゆえ、アセアンのメンバー大学の教育・研究能力が向上し、社会に有為な人材が輩出されることを主たる目的としている。

しかしながら、昨今、途上国のためのODAだけではなく、そこに「日本の国益」を求める論調が高まっている。国益をどのように捉えるかは、事業種別や内容、そこに関わるステークホルダーにより考え方が異なるであろう。しかし、日本の公的資金を使うODAにあって、その事業が「日本にとって何の意義があるのか」という視点が求められるようになった。

SEED-Netにおける「日本の国益」とは何か。様々な意見があろうが、筆者は、それは日本とアセアンの長期的な共存共栄のため、人と人との信頼に基づく人的ネットワークの基盤を築くことであり、そこに次世代の若者たちが共に学ぶフレームワークとして機能することにあると考えている。

一般的に学術の世界では、当事者である研究者の「研究活動に資するか否か」の判断基準をもって国際パートナーを選ぶ。したがって、研究水準の観点からは、シンガポールなど一部の国のトップレベルの大学を除き、日本の研究者である大学教員側においては、アセアン側の大学と積極的に共同研究活動を行う意識は必ずしも高くない。この点はSEED-Netを立ち上げた2001年以来、大宗に変化はない。

その一方で、分野や研究領域、研究テーマによっては、日本国内よりも途上国において研究フィールド、研究の材料が存在し、途上国の研究者と協働することの意義を見い出せるケースもある。さらには教育という部分に目を向けると、日本人学生のダイバシティーの涵養、留学生として海外の優秀な学生の獲得と共同研究の機会創出というメリットもあろう。ごく単純に、過去に何らかの知己を得た途上国の教員と共同活動を行う楽しさもあるかも知れない。いずれにしても、SEED-Netを通じて形成された日本の支援大学とアセアンのメンバー大学との教員同士のネットワーク、また留学事業で研究指導をした指導教員と元学生との師弟関係のもと、日本人の学生とアセアンの学生の共同教育プログラムが実施されている。

本章ではSEED-Netの事業成果を、将来のアジア地域の平和と安定の礎となる日本とアセアンの学生の国際教育活動に活用した事例にターゲットを絞って紹介する。

1．共同教育プログラムの実施

「大学の世界展開力強化事業」始まる

ある日、小西は上司と共に文部科学省の会議室にいた。SEED-Netの概要を紹介するためである。小さな会議室には、この会議の委員である著名な先生方が座っていた。科学技術分野の政府アドバイザーや国立大学の国際担当副学長、テレビでコメンテーターをしている人も目の前に座っていた。文部科学省が新規事業を検討するための有識者会議の1コマである。有識者会議の主要テーマは、当時、日本政府が中国・韓国両政府との間で合意した「キャンパス・アジア」の実現に向けた事業計画案策定にあった。

2009年の日中韓サミットにおいて、3カ国の大学間で単位互換を伴う質の高い学生交流プログラムの創設検討に合意がなされた。翌年の各国の政府、大学、高等教育の質保証機関等から成る有識者委員会において、この事業は「キャンパス・アジア」と名付けられた。単位相互認定、適切な成績管理・学位授与、3カ国間の高等教育の質保証の共通枠組みを構築。今後のアジアにおける大学間の交流、学生の知的人材交流および相互理解の活性化、および未来の東アジア全体の繁栄、発展に貢献することを目指した。欧州で実施されているエラスムス事業の東アジア版ともいえる。文部科学省は、このパイロット事業実施のための事業枠組み整備を目的とする委員会を開催していた。

委員会に招へいされた小西の上司がSEED-Netの概要を説明した。日中韓の3カ国の事業を対象としているのに、何ゆえにSEED-Netなのか。それは委員会で、対象地域を日中韓の3カ国以外の東南アジアにも適用してみてはどうか、という議論がなされたからと聞いていた。

委員会で議論された文部科学省の事業は、その後、「大学の世界展開力強化事業」という形で具現化された（文部科学省所管の日本学術振興会（JSPS）が事業を実施）。実際の事業を主導するのは日本の大学で、第1回目の募集が2011年に行われた。その募集要項に記された支援区分の中には、キャンパス・アジアの理念をベースにした「日中韓の三か国における大学間で実施する事業」を主たる対象としつつも、それ以外の「中国、韓国またはASEAN諸国における大学と実施する事業」という枠も設定された。

マイナーながらもアセアン枠も設定されたのである。後に関係者から聞いた話では、当初、委員会の中では単位の相互互換による質の保証を伴った学生交流事業を、アセアンの大学と実施しようとする日本の大学があるのか疑問視する意見があった。しかし、SEED-Netのサンドイッチ博士号取得支援プログラムの話を聞いて、その認識を改め、試みにアセアンでも実施してみようということになったという。

SEED-Netとの連携

2011年6月のある日の夕刻。日帰りの札幌出張を終えた小西は、同僚と羽田空港で別れ、都内の待ち合わせ場所に急いでいた。数日前に、夕食を取りながら打ち合わせをしたいとのメールを受けていた。待ち合わせの相手は、京都大学の大津宏康教授（当時、京都大学大学院工学研究科都市社会工学専攻。2022年現在、国立松江高等専門学校校長）。10年来のお付き合いのある先生であった。

さかのぼること13年前の1998年4月、大津教授が京都大学からタイ・バンコクに着任した。勤務先はアジア工科大学（AIT）。当時、小西はJICAタイ事務所の高等教育分野の担当者としてバンコクにいた。タマサート大学、カセサート大学、チェンマイ大学、モンクット王工科大学ラカバン校など、タイの名だたる大学に対するJICAの技術協力事業の実施業務を担っていた。加えて、バンコク郊外に所在する国際高等教育機関であるAITも担当していた。当時、10名を超える日本人の教員がJICAの専門家としてAITに派遣され、アジアを中心とした諸外国からの優秀な学生に対して、大学院レベルの高度な国際教育・研究の機会を提供していた。大津教授はこの中の1人としてバンコクに着任したのであった。

お互い関西人同士であるがゆえか馬が合った。バンコクでも、その後それぞれが日本に帰任した後でも、本来業務以外の用務での協力をはじめ、公私ともに時間を共有することが多かった。2011年6月の時点で、小西はJICA本部の高等・技術教育課長として、SEED-Netを含むJICAの高等教育分野の途上国支援を行うすべての事業実施の管理をしていた。そして大津教授は、SEED-Netの国内支援大学の1つである京都大学の教員として、域内サンドイッチ博士号取得支援プログラムの短期留学生を受け入れて研究指導を行うなど、SEED-Netの活動に参画していた。

場所は都内の夕食会場。生ビールのジョッキで乾杯をした後、大津教授がおもむろに書類を差し出した。それは、前月に文部科学省（正確には文部科学省所管の独立行政法人で事業の実施を担っている日本学術振興会）が初めて公募した「大学の世界展開力強化事業」への応募用のプレゼンテーション資料の素案であった。京都大学を提案大学とし、タイのチュラロンコン大学、カセサート大学、アジア工科大学、インドネシア・バンドン工科大学、マレーシア・マラヤ大学、ベトナム国家大学と連携し、単位互換を伴う防災分野の共同教育プログラムを行う。その中の「SEED-Netとの連携」という文字に小西の目が止まった。大津教授から「SEED-Netとの連携という位置付けも盛り込んだ事業にしたい」との言葉があった。「是非やりましょう！」。まさに小西も望むところであった。

キャンパス・アジアの事業化に向けて、文部科学省が「大学の世界展開力強化事業」の準備をしていたこと、わずかながら採択枠を用意してアセアン案件の実施を試行していること、関係者の頭の片隅に「SEED-Net」がインプットされていることを、これまで文部科学省からの求めに応じて協力してきた小西は理解していた。しかも、SEED-Netの事業成果のJICA以外の事業への拡大、一般の学生を対象にした教育プログラムへの展開は、小西自身が密かに期待していたものであった。

大津教授の人脈が活きる

大津教授が練った企画は、「強靭な国づくりを担う国際人育成のための中核拠点の形成――災害復興の経験を踏まえて――」というものだった。

2011年3月11日は、日本、いや世界が永遠に記憶に留めるべき東日本大震災が発生した日である。大津教授の専門領域は土木工学で、その中には防災工学も含まれている。アジア工科大学で東南アジアをはじめとする諸外国の学生の教育・研究指導を担った経験から、多大な犠牲を出したこの未曾有の自然災害からの復興経験を、東南アジアの人々のために活かせないかと考えていた。また、タイをはじめとする東南アジアや南アジアは、2004年末に、スマトラ沖大地震により発生した大津波により甚大な被害を受けていた。タイ駐在から帰国して間もない頃に発生したこの大災害のことを、大津教授は心に深く刻んでいた。もともと東南アジアは、地震や火山噴火、地滑り、台風、洪水など自然災害が多発する地域である。「日本と東南アジアの若者に実践的知識を身につけてもらい、地域の人々の命を守るような社会づくりに貢献できないか」と、大津教授は思案していたのである。

「大学の世界展開力強化事業」の募集が始まると、ある人からすぐに相談がなされた。大学の国際関係事項を所掌する副学長である。副学長は、大津教授が学生時代に助教授として研究指導をしてくれた人で、指導教員であった。当時、天下の京都大学といえど、大学の国際化の推進は重要な経営課題の1つであった。

「東南アジアとの連携というコンセプトで応募してみないか」——元指導教員から相談、いや指示をされたら否とは言えない。もとより大津教授も申請を心に秘めていた。

「大学の世界展開力強化事業」は、日本と外国の大学による質の保証を伴った共同教育プログラムの創設であり、そこに双方の学生を交流させるというのが「お題」である。

テーマは「災害復興」と決めたが、東南アジア側の連携大学をどうするか。初年度の募集ということもあり、応募締切日までの準備のための期間は短かった。限られた時間のなかで、効果のある魅力的な企画書を作成しなければならない。しかも応募に際しては、外国の大学から事業参画に同意するレターを取り付けて添付しなければならないのだ。

ここで大津教授の人脈が活きた。早速、知人の学内の教員に声をかけたのだが、その教員はSEED-Netの京都大学の国内支援委員で、すでに防災領域でSEED-Netの主要大学の教員との間に人脈を築いていた。大津教授自身がAITで築いたネットワークとして、AITのほかタイのカセサート大学、ベトナム国家大学ハノイ校の3大学があった。これに、知人教員のネットワークとして、タイ・チュラロンコン大学、インドネシア・バンドン工科大学、マレーシア・マラヤ大学の3大学が加わり、声をかけた大学からはすぐに企画事業に賛同する旨のレターが寄せられた。

結果的に、京都大学とアセアンの大学がコンソーシアムを形成。単位の互換に基づく学生の相互交流により、東日本大震災の復興プロセスの経験、東南アジア地域の自然災害への対処の経験を実践的に学ぶという、国際共同教育プログラムの企画を取りまとめることができたのである。

捨て身の回答が功を奏す？

「大学の世界展開力強化事業」を実施する日本学術振興会に企画書を

提出し、書類審査を通過した。次は企画の構想責任者に対する口頭審査である。東京に呼ばれ、学識経験者から成る審査員の前で企画書の概要を説明した後、質問に答えた。

企画骨子の説明を終えた大津教授に対し、審査委員から質問が飛んだ。が、話が噛み合わない。審査委員の専門領域が工学分野でなかったのかも知れない。15分の持ち時間が、噛み合わない「消化不良」の質疑応答で浪費されていく。「厳しい。これはダメかも知れない」。大津教授は内心諦めた。「もうこうなったら、最後は関西人らしくウケを狙って終わろう」と覚悟を決めた時、1人の委員から「京都大学の防災分野の国際化の状況はどうですか？」という質問が出された。

こうした質問に対しては、「いくつか課題はありますが、国際化に向けて順調に進んでおります」というのが模範解答である。そして、「具体的に課題は何で、どのように対処しているのか」との更問がなされることに備え、同時並行で瞬間的に頭の中で答えを用意する。が、この時は違った。大津教授は破れかぶれであった。「はっきり言って遅れてますよ。いつまでも淀川と琵琶湖の防災ばっかり語っている場合じゃないと思っています。これからは国際場裏で総合防災を語れるグローバル人材を育成したいと思っています」と回答したら、審査会場内に笑いが起こった。そして、その場で委員から、大津教授の企画に対して国際化を推進するためのアドバイスも出された。

このやり取りが評価されたかどうかはわからないが、大津教授の元に採択通知が届いた。企画書「強靭な国づくりを担う国際人育成のための中核拠点の形成――災害復興の経験を踏まえて――」は合格したのだ。初年度に文部科学省が設定した貴重な3件の「アセアン枠」の1つである。質の保証を伴った日本とアセアンの共同、そして協働教育プログラムの走りともいえる。

日本の2単位がアセアンでは3単位

審査を通過した企画は、京都大学とアセアンの大学との間で協定を結び、日本の学生とアセアンの学生が同じ講義で共に学び、その修学結果を学生が籍を置くそれぞれの大学において単位認定されるという内容である。

教育プログラムの中身は、防災・減災・復旧・復興に関するグローバル人材を育成することを目的に、日本とアセアンの参加大学間で協働教育カリキュラムを開発し、各国の学生が一緒に防災に関する基礎知識、専門知識、そして実践的知識を学ぶというもの。講義のテーマは、各自然災害の発生メカニズムや構造物/ライフラインの被害と復旧、瓦礫処理方法、都市計画と復興のグランドデザイン策定、法制度整備、防災教育、リスクマネジメントなど多岐にわたる。そして、アセアンと日本の学生が自然災害現場を訪問し、実際の災害被害と復興の取り組みの現状を視察する。こうしたプログラムの中で、学生を小グループに分け、テーマごとに討議とプレゼンテーションを行う。

毎年、京都大学とアセアンのどこかの国1カ所を定め、計2つの大学でプログラムを開講し、すべての学生が両者に参加するという仕組みを考えた。さらには、国際場裏で講義の経験を積ませるべく、日本とアセアンの若手教員の相互交流による講義の実施も盛り込んだ。

内容は充実したものを練り上げた。が、そこに立ちはだかったのが、国別・大学別の単位数のカウントの違いであった。さらには、1単位当たりの修学時間（講義そのものの時間のみならず、想定する予習復習に必要な時間も含む）の違いもあった。日本の大学は2単位を基本とするが、アセアンの大学は3単位。今回計画した教育プログラムは、修学時間は同じなので合理性を欠く。「質の保証」という観点からも、付与する単位の合理性・妥当性を検証し合意しておくことが重要だ。それぞれの大学に基準があり、その基準との不整合は各大学の教育事業自体への信頼性をも揺るがしかねない。どちらも譲ることができない。

協議に協議を重ねた結果、すべての講義を京都大学の講義とし、京都大学の基準に基づいて出した単位・成績を、アセアンの大学が自大学の学生に対し互換して単位を付与することになった。その際、3単位を基本とするアセアン側の大学では、京都大学基準の2単位では修学時間が不足するため、帰国後に自大学内で帰国報告会を開催し、学生がプレゼンテー

国籍の異なる学生同士が英語で自由に意見交換を行うグループワーク
（京都大学提供）

グループワークの成果を発表する学生たち。英語によるプレゼンの経験をする
（京都大学提供）

ションを行うことにより1単位分を付加して3単位とした。

またアセアンの大学で開催される講義にあたっては、講義を行うアセアンの大学側の教員に京都大学の非常勤講師を委嘱してその講義を京都大学のものとしたり、京都大学の教員がアセアンで行う講義も、講義場所はアセアンの大学であるものの講義そのものは京都大学のものとした。

タイ・アユタヤ遺跡でのスタディーツアー。遺跡の洪水対策につき講義を受ける（京都大学提供）

日本でのプログラムのアイスブレーキングで英語による落語に挑戦　（京都大学提供）

ただ、この方式導入の交渉をいきなりアセアン側4カ国6大学で同時に行うのは労力的に厳しいと思えた。どこかの大学が反対すると、他の大学も同調して反対するかも知れない。このため、最も強い信頼関係を築いていたタイの大学との間でまずは交渉した。チュラロンコン大学、カセサート大学、アジア工科大学の3大学だ。それぞれの立場があり、交渉は難航したが、最後は大津教授がアジア工科大学勤務時代に共に働いたタイ人の教員が、他の大学を説得してくれた。こうして京都大学とタイの大学との合意に基づき、最初の共同教育プログラムを実施。実績を作ったうえで、次年度以降にインドネシアなど他国の大学と交渉し、活動への参加大学を増やしていった。

学生が屋台でパラチフスに罹る

この国際教育プログラムに参加するすべての学生は、まず8月に京都大学での約4週間のプログラムを受講し、一度母国に戻った後、9月にアセアンの大学で開催される約4週間のプログラムに参加する。

プログラムでは計画的に、座学の時間を全体時間数の半分以下にした。座学のほか、ツアー形式での災害復興現場への視察のほか、グループ討議を多く盛り込んだ。これにより学生同士が親しくなる。最初の京都大学でのプログラムが開始されて10日ほども経つと、学生同士の人間関係は濃くなった。同世代の学生が集まると、新たな友達、仲間を得たようなものだ。この若者同士の触れ合い、つながりは、この国際共同プログラムにおいて大変重要なポイントの1つである。こうしたつながりは、講義中のグループ討議やサイト視察のスタディーツアーの中から生まれ、その後、時間外での付き合いへと発展し、より強固になっていく。

また、そうした環境に身を置くことにより、日本人の学生も意識の高揚と共に、好奇心や探求心、さらにはノリによって様々なことにチャレンジし、そこから学ぶべき何かを得るのだが、時として失敗もある。

インドネシアのバンドン工科大学でアセアン・プログラムが実施されていたある日のこと。日本人学生たちは連れ立って屋台に夕食に出かけた。ローカルフードを食べることは、現地事情を理解するための手っ取り早い方法の1つであろう。が、短期渡航で日本から来た者が、いきなり自分たちだけで屋台料理を食べるのはハードルが高すぎた。屋台めしを食べに行った学生たちのうち3名がパラチフスに罹ってしまったのである。料理の一部が汚染されていたのだろう。

日本から引率してきた教員は慌てた。引率といえど、現地の医療事情はわからないし、インドネシア語もしゃべれない。その上、学生が加入している海外旅行傷害保険のオフィスになかなか連絡がつかない。外国で病気にかかった時の治療費は高額である。支払いの保証がないと治療を受けられないこともある。

幸い、バンドン工科大学関係者の支援を受け、病院で治療を受けて3名の学生は無事快復した。が、学生の健康管理の重要性を再認識した大津教授は、このハプニングにより、次年度ベトナムで計画していたプログラムを、日本人向け医療体制が整っているタイでの実施に変更した。

延べ140名の学生が相互交流

2012年度からの4年間に、学生の交流を、アセアン側ではタイ・カセサート大学で3回、インドネシア・バンドン工科大学で1回実施した。延べ約80名の日本人学生を派遣し、延べ60名の学生をアセアン諸国から日本に受け入れ、相互交流を通じて若者を育成したことになる。

プログラムの中では、異なる国の災害復興現場を視察する機会を積極的に提供した。災害に対し、復旧や復興、リスク低減などの知識の習得は必要だが、一番大事なのは、国によって「解決方法が違う」ことを理解すること。東日本大震災の復興の現場にアセアンの学生を連れて行くと、災害で出た廃棄物を分別ゴミにしていることに目を丸くしていた。タイの災害現場は日本のそれとは随分異なる。東日本大震災の復興は、お金だけで解決できないことが明らかになったが、その場合、タイだったらこう解決する、インドネシアだったらこう解決する、ベトナムはこうというように、それぞれの国の学生の意見を聞いて「なるほど！」と思った。最終的には俯瞰的に対応策を練り出すもので、実践的で多面的視野の涵養に役立った。

プログラムに参加した学生は、世界で活躍する実践的なグローバル人材へと成長する。アジア工科大学からプログラムに参加した学生の1人は、その後、カリブのハイチで発生したハリケーンの復興支援に参加し、国際機関に就職した。京都大学の学生は、プラントエンジニアリング会社やエネルギー会社の海外部門で活躍している。

ここで紹介した共同教育プログラムは、「大学の世界展開力強化事業」が始まり、最初に採択されたアセアン案件の1つだ。参画したアセアンの大学の先生たちは、謝金なしのタダ働きで講義を担ってくれた。何もないところから、人脈を頼りに作り上げた日本とアセアンの共同、そして協働の教育プログラム。それぞれの地域の歴史や社会、経済の状況をも踏まえ

プログラムを適切に運営するために参加大学の教員による協議会を開催（ただし本写真は後継事業のものを使用）。前列右から4人目が大津教授　（京都大学提供）

た、実践的プログラムでもある。ここで作成した英語の教材はその後も使用され、別の類似事業へと継承され、新たな世代のアジアのグローバル人材が育成されている。

「年寄りっていうのはね、『今の若いもんは』とかよく言うけど、若いもんが育つ『土俵』っていうのかな、『まな板』かな、そうしたものを用意してあげるのが年寄りの仕事であって、何もせず若いもんの文句を言っている年寄りはダメですね」。自ら実践している大津教授の言葉が心に響く。

2. アジアの架け橋となった師弟

「この人が僕の後継者だから」

時は少しさかのぼるが、小西がその人と最初に出会ったのは、2001年7月末のフィリピン・マニラであった。その人とは、九州大学の内野健一教授（当時、九州大学大学院工学研究院地球資源システム工学部門）である。

同年4月にSEED-Net設立式典がタイ・バンコクで開催され、実際の活動を開始したが、アセアンの各メンバー大学では並行して、SEED-Netの中で何を目指し、どのような活動を計画し、資金や人的資源の投入、さらに他のメンバー大学への協力をどう考えるのか、行動計画の策定に取り掛かっていた。これを支援するため、JICA本部からSEED-Net事業を学術的観点から支援する本邦支援大学の教員、SEED-Net事務局からは事務局長やJICA専門家、さらにはSEED-Netの他のメンバー大学の教員を1つの調査団として各メンバー大学に派遣し、関係者間で協議を行っていた。フィリピンのメンバー大学であるフィリピン大学ディリマン校、デ・ラサール大学それぞれと協議を行うべく、マニラのホテルのロビーで調査団内の打ち合わせをした時であった。

小西にとっての内野教授の最初の印象は、「優しくも、意志の強い眼差しを持った方」であった。

内野教授はSEED-Netの国内支援委員に参画する以前から、他のJICA事業を通じて途上国の人材と交流する機会を有していた。おそらく1960年代か70年代頃からであろう。途上国の関係者を日本に招き、地熱や石炭に関する分野で日本の知識や技術を紹介し、実際の事業サイト視察の機会を提供する研修に参画していた。マニラで初めて会った小西に対して、こうした研修の機会を通じて出会った途上国の人たちとの触れ合いの楽しさを語っていた。

時は米国主体の有志連合軍によるイラク戦争がまさに始まろうとしていた2003年3月中旬。その内野教授と何回目かの合同出張。場所はインドネシアのガジャマダ大学（UGM）。この時も内野教授は福岡から、小西はバンコクからインドネシアを合同で訪問していた。

第1章で触れたとおり、SEED-Netは工学を9分野に区分し、各分野にアセアン側で中核となるメンバー大学（ホスト大学）と、それを支援・協働する日本側の分野幹事大学を設ける分野別事業実施体制を敷いていた。地質・資源工学分野のホスト大学にはインドネシア・ガジャマダ大学、本邦幹事大学には九州大学が就いていた。何ゆえに両者が結び付いたのだろうか。それは極めて単純明快。ガジャマダ大学には、SEED-Netが始まる以前に、文部科学省の国費留学生事業により九州大学の資源分野で修学経験を有する元留学生が教員として働いていた。研究室で「同じ釜の飯を食べた仲間」というか、研究室内で研究指導を通じて形成された師弟関係である。九州大学はこの師弟関係を大切にしていた。

ガジャマダ大学との協議の合間に、内野教授が小西に声をかけた。「この人が僕の後継者だからよろしく」。紹介されたその人は、内野教授に福岡から同行していた、同じく九州大学の渡邊公一郎教授（当時、九州大学大学院工学研究院地球資源システム工学部門。2022年現在、JICA国際協力専門員）であった。

グローバル資源人材の育成が急務だ

内野教授は2年後に定年退官を控えていた。自身の定年退官を見越し、引継ぎを兼ねて本邦分野幹事のリーダーとしての業務、立ち位置を弟子に教えようとしていたのだろうと小西は思った。

が、聞けば、内野教授と渡邊教授は違う研究室とのこと。何ゆえに違う研究室の渡邊教授を後継者に指名したのだろうか。

さかのぼること約10年、1990年代前半のことである。当時、日本社会における産業構造の変化に伴い、大学における鉱物・エネルギー資源分野の教育・研究活動は縮小傾向が続いていた。もともと明治、大正、昭和初期と、日本の社会・経済発展において鉱物・エネルギー資源分野は最重要産業の1つに位置付けられ、明治維新以降の日本の産業発展を支えた原動力の1つであり、政府を挙げて人材育成に力が注がれてきた。ところが戦後のエネルギー革命などによる産業構造の変化により石炭産業は衰退し、人材ニーズが減退していた。さらに化石燃料から代替エネルギーへのシフトが進み、公害問題への対処から環境技術や効率的なエネルギー資源の利用技術に関心が高まると、国内の各大学は、鉱物・エネルギー資源分野の教育プログラムを、環境分野や材料分野、災害地質、応用地質、新領域学科などに組み替えていった。九州大学も同様に、従来の採鉱学科から資源工学科に教育内容の組み換えを行っていた。

こうした状況のなか、内野教授や渡邊教授は、化石燃料に限らず広く種々のエネルギーや鉱物資源に着目した場合、日本には依然としてそのニーズがあると認識していた。しかも、それは開発途上国に多く存在していた。にも関わらず、途上国ではそうした分野を担う人材も技術も不足していたため、途上国との資源の共同開発、そして人材育成の必要性を感じていたのだった。さらには、資源開発の主戦場が途上国になることから、資源分野の知見を有しつつ、海外で活躍できる人材を日本国内で育成する必要性を見越していた。いや、途上国から留学生を受け入れて資源が豊富な国の人材を育成するとともに、学外の様々なプログラム予算を獲得し、日本人学生を途上国の異文化を理解する「グローバル資源人材」として育成する学内体制にするべきだと考えていた。この考えは学部の教授会で度々2人が主張していたことで、それは、国内のみに目が向いていた資源分野の教育を国際化へと大きく方向転換するものであった。当時より、九州大学工学部では講座制による運営がなされており[1)]、渡邊教授は内野教授とは異なる研究室で助手（現在の助教に類する職位）になったばかりであったが、内野教授から「同志」として認められていたのであろう。

SEED-Netの活動に引き入れられた渡邊教授は、その後、度々、内野教授がアセアンのメンバー大学の教員・学生たちと接する姿を目の当たりにした。地質・資源工学分野の活動計画策定、活動結果のレビュー、学生への研究指導状況の確認など、ガジャマダ大学をはじめとするアセアンのメ

2004年12月にインドネシア・ガジャマダ大学にて開催されたSEED-Netの地質・資源工学分野会議の出席者。最前列左から3人目が渡邊教授、4人目が内野教授　（渡邊教授提供）

1）学部において、専攻領域の区分とその区分ごとに複数の教員により行われる教育・研究活動の責任と権限を明確にするため、教授、准教授（助教授）、助教（助手）から成る研究室の体制。旧帝国大学など旧制大学を中心に採られた体制で、戦後、長い時間の中で大学・学部によっては、教育・研究上必要な領域ごとに学科目を定め、その学科目ごとに必要な教員を置く学科目制に移行した大学・学部もある。

ンバー大学の教員たちと議論を重ねる内野教授。ガジャマダ大学でSEED-Netの地質・資源工学分野の関係大学との議論に臨んだ際には、会議出席者一同に対し、「ガジャマダ大学の地質・資源工学科は、九州大学が全面的に支援するので、その教育・研究の質は九州大学と同じ水準だと思ってください」と宣言されたと、JICA専門家であった当時のアカデミックアドバイザーもその著書に記している。

ガジャマダ大学をはじめとするアセアンのメンバー大学の教員、学生を慈しむ内野教授の言葉、その姿を通して、「ODA事業とは、途上国の仲間に『温かい眼差し』で寄り添うことだと学んだ」と、渡邊教授は述懐する。

キャパシティー・ディベロップメントの支援

SEED-Netは1997年のアジア経済危機の反省に立って開始した事業である。東南アジア域内の持続的発展のためには産業の高度化が必要であり、そこに貢献し得る工学系高度人材を域内で育成するべく、高等教育機関の教育・研究能力向上を支援するものである。

日本の技術協力の基本理念は、途上国の自助努力であり、それが社会・経済の持続的発展につながると考える。このため、空腹の人（途上国）を見つけても魚（途上国が必要とする技術や労働力そのもの）を提供しない。その替わり、魚を釣る方法（技術を身につける方法）を指導する。そのために必要ならば釣り具（施設や機材）を提供する、という方式である。これを高等教育分野の支援事業に当てはめると、JICAの技術協力事業では、基本的には日本人の専門家が現地の学生を直接教育することはしない。現地の教員の教育・研究能力を向上させるための協力を行い、さらには教育・研究機関としての大学組織の能力向上を支援する。いわゆるキャパシティー・ディベロップメントの支援である。これにより、JICAからの支援活動が終了しても、途上国の大学が継続的に質の高い教育を行い、優秀な学生を輩出し続けることができる。

SEED-NetにおいてもJICAによる支援の対象は、アセアンのメンバー大学の現役教員または教員になることを志す学部卒業生に絞り、厳しい選抜を経た者に対し、アセアン域内の他のメンバー大学の修士課程や博士課程、または本邦支援大学の博士課程で研究指導を行い、学位を取得することを支援していた。

地質・資源工学分野では、アセアンのメンバー大学のホスト大学はインドネシアのガジャマダ大学であることはすでに述べたとおり。そして本邦支援大学コンソーシアムにおいての分野幹事大学は九州大学、分野支援協力大学は京都大学と北海道大学。もしSEED-Netメンバー大学の地質・資源工学分野の教員が、SEED-Netの中で学位を取得しようとすると、アセアン域内ではガジャマダ大学の修士課程やサンドイッチ博士課程、本邦だと九州大学や京都大学、北海道大学の博士課程に留学するしかない。SEED-Netの仕組みでは、まず成績優秀な学生をアセアンのホスト大学の修士課程に留学させ、そこで本邦大学の教員がホスト大学の教員とともに研究指導を行い、その学生の能力を見極めつつ、ホスト大学のサンドイッチ方式の博士課程か本邦大学の博士課程にその学生を留学させることができる。

こうした仕組みがあっても、本邦博士号取得支援プログラムで来日した場合、原則として3年間で博士号が取得できるように指導しなければならない。本人にも指導教員にも相当なプレッシャーである。これはサンドイッチ博士号取得支援プログラムでも同じ。実際の学生指導はいろいろ苦労した。本人の研究指導だけでなく、時には随伴家族の日々の生活態度に起因するトラブルや相談にも頭を悩ませた。

そうした苦労がありつつも、九州大学の地球資源システム工学部門で受け入れたアセアンの大学からの博士課程学生は100名を超えた。第2章で紹介した、現在、ガジャマダ大学で教鞭を執るルーカス氏もその１人である。彼は大変優秀で、渡邊教授の指導のもと2年間で博士号を取得した。

加えて、ガジャマダ大学の博士課程にSEED-Netのサンドイッチ博士号取得支援プログラムで留学し、修学期間の一部期間を九州大学で研究する学生もいた。優秀な留学生も多く含まれていた。残念ながら母国の大学院に進学しても、研究施設や研究指導能力、研究のための資金の獲得、そして学位取得後の就職と学術ネットワークなどの限界を見通して、九州大学に来る学生もいた。

東南アジア各国からの留学生に加えて、当然のことながら日本人学生もいる。また、アフリカなど他地域からの留学生もいる。アセアンのメンバー大学で教鞭を執る元教え子から、自身が指導する学生を九州大学で短期間研究指導して欲しいと依頼されることもあった。渡邊教授からすれば「孫世代」の留学生となる。

これら多国籍で重層的な学生たちを、渡邊教授をはじめとする九州大学の教員たちが受け入れ、研究指導をした。渡邊教授の研究室は、「同じ釜の飯を食べる」国際色豊かな「ファミリー」となった。「ファミリー」の中では時としてハプニングも起きる。が、そうした経験を通じて、お互いが異文化、異文化人を理解し、敬意を持つということも学んだ。そして、より

2006年8月、インドネシア・メラピ火山噴火後の現地調査を渡邊教授がガジャマダ大学の研究者や学生に指導　（渡邊教授提供）

九州大学・渡邊研究室の学生たち。アセアンやアフリカなどからの留学生が研究室の半数を占めた （渡邊教授提供）

有意義な教育、研究活動を行うためには、国境を越えてつながっていくことが重要であることを、身をもって理解した。九州大学の研究室の中で、何代にもわたる日本とアセアンのメンバー大学の教員同士の縦と横のネットワークが育まれていった。

ビルドアップ型国際共同教育プログラムの立ち上げ

文部科学省が「大学の世界展開力強化事業」を開始したのが2011年。すでに述べたとおり、初年度は日本とアセアンの大学間でのプロジェクトの採択枠が限られていた。が、初年度、わずかに設定したアセアン枠に対して意外に多くの応募があった。応募区分の1つ「キャンパス・アジア中核拠点形成支援タイプ」で、本命の日中韓3カ国による共同事業に匹敵する応募数があった。この状況に文部科学省は驚いたが、依然として疑念も抱いていた。「意外にアセアンの大学との国際共同教育プログラムのニーズがあるかも知れない。しかしアセアン側が本当にその態勢にあるのだろうか」と。文部科学省はJICAと共に、アセアン域内の国際共同教育プログラムに関する各国の制度と大学レベルの状況を確認すべく、合同調査を実施した。

この調査により、そのニーズと制度整備状況に手ごたえを感じた文部科学省は、日本とアセアン諸国との高等教育分野の関係強化、さらには同地域への日本の大学の進出を後押しすべく、翌2012年度の「大学の世界展開力強化事業」のテーマを「ASEAN諸国等との大学間交流形成支援」に据えた。

この情報に接した渡邊教授の脳裏に、アセアン側メンバー大学の仲間たちの顔が浮かんだ。九州大学で学び、SEED-Netのメンバー大学で教員となった卒業生とは、その後も共同研究やそれ以外の公私にわたるコミュニケーションを維持している。実は渡邊教授も、こうした人的ネットワークを活用した学術活動をしたいと思っていたのだ。そのための布石の1つとして、日本やアセアン域内でSEED-Netの会議を開催する時には、会議出席者たちが、その国における地質・資源事業の現場を訪問して現地視察・調査を行う地質巡検を設定し、国境を越えた国際共同研究につながる下地を作ってきた。

日本とアセアンの「同じ釜の飯を食べた師弟関係」によるネットワークでつながる教員たちは、アセアンと日本の学生の相互交流による教育・研究の機会を設け、アジアにおける資源工学分野の人材を育成する枠組みを創設したいとみなが感じていた。ただし、活動を行うための資金がない。今回の文部科学省の事業はまたとないチャンスで、何も迷うことはなかった。渡邊教授は、即、事業構想の検討に入った。

「大学の世界展開力強化事業」は、質の保証を伴った日本の大学と外国の大学との間での共同教育プログラムを形成・実施するものである。申請にあたり、自大学の学生を学ばせ、外国の大学の学生を受け入れ得るイコールパートナーとなり、共同事業者となり得る大学を海外に見出さなければならない。渡邊教授には十分な勝算があった。

早速、アセアン各国の大学若手教員との師弟関係をベースに、企画書作りのための協議を始めた。資源分野の高度グローバル人材を育成するための教育プログラムに必要なことは何か。自身には、九州大学での教育・研究の経験がある。SEED-Netネットワークを通じて東南アジア地域に足を運び、大学教員と議論し、資源産業の現場に足を運び、その答えを探した。また、自大学で提供できる講義は何か。足りない部分をどこで補うか。参加型プログラム、体験型修学を重視しつつ、アイデアを推敲していった。

その結果練り出したアイデアが、「国際インターンシップ」「スクールオンザムーブ」「修士課程のダブルディグリー」の3つの国際教育プログラムから構成される、学部生・大学院修士課程学生を対象にしたビルドアップ式の包括的共同教育プログラムであった。資源開発分野や環境分野で政策立案や研究活動に従事する人材、総合商社や資源開発のグローバル企業で働く人材、20～30年後の日本とアセアンを支える資源工学の高度グローバル人材の育成を目指した。

九州大学のほか、日本国内からは事業の共同提案者になった早稲田大学が参加した。アセアンからは、SEED-Netメンバー大学であるチュラロンコン大学（タイ）、バンドン工科大学（インドネシア）、ガジャマダ大学（インドネシア）、マレーシア科学大学、フィリピン大学ディリマン校、ホーチミン市工科大学（ベトナム）、カンボジア工科大学が顔を揃えた。

「国際インターンシップ」は、学部生を対象とし、毎年、日本から約15名、アセアン側から約15名、合計約30名が参加する。九州大学またはアセアンの本プログラム参加大学のいずれかでサマースクールを実施し、資源工学の基礎知識や企業での研修参加にあたっての基本的知識などを学んだ。その後、プログラム参加大学が所在するいずれかの国で開講される、日系や現地の鉱山・炭鉱企業、エネルギー開発企業、総合商社などの協力企業約40社によるインターンシップに参加。一連のプログラムでは、学生同士がグループ討議を行い、その結果をプレゼンテーションして意見交換を行い、最後にレポートを提出して試問を受ける。合計4単位のプログラムである。

「スクールオンザムーブ」は、この事業のウリの1つである。対象は修士課程の学生で、毎年、日本から約20名、アセアン側から約20名、合計40名程度が参加。「国際インターンシップ」に参加した学部卒業生も参加できる。学生はそれぞれが学籍を置く大学で半年間、資源開発や岩盤工学、鉱物加工などの資源工学に関する専門知識を修学。その後、対象期間中に九州大学やアセアンの連携大学で開講される1週間から10日間程度の教育プログラムを合計3カ国で受講する。約4週間の移動型教育である。各国での教育プログラムでは、資源開発に関する現場視察のほか学生同士のグループ討議が何度も盛り込まれている。さらにその後、修士論文のため、メンバー国の資源分野の事業サイトを1つ選んで最長3カ月の調査研究を行う。これにより8単位以上を習得する。一連のプログラムで得た知見を修士論文作成につなげていく。

さらに、グローバルな高度研究者・高度技術者を本格的に育成するためのプログラムが、「修士課程のダブルディグリープログラム」であった。これは、選抜をしたアセアンのメンバー大学と九州大学との間での2大学間で整備し、その修学課程の一部に「スクールオンザムーブ」を組み込んだ。

質の保証への調整努力

どのプログラムにおいても、提供する教育内容の質の保証が重要である。受講する学生にとっても、自身の教育課程の修了要件に資する単位を得られるかどうかは重要なポイントとなる。京都大学の取り組みでも書いたが、ここに立ちはだかる、国際共同教育プログラムを形成・運営する際のハードルの1つが、国別・大学別に異なる学位や単位の制度である。国や大学により学位授与に必要な修学単位数が違ったり、1単位あたりに算定する学習時間数が異なる。例えば2012年当時、修士号付与の必須単位は、九州大学の30単位に対し、タイ・チュラロンコン大学は36単位。そしてインドネシア・バンドン工科大学は60単位であった。そして1単位の講義時間数は、それぞれ15時間、15時間、6時間といった具合。このような各国の制度を確認し、そのもとでどう調整し、折り合いをつけて1つの共同教育プログラムとするか。さらには、形成した教育プログラムや関連情報の公開の仕方、参加を志望する学生の選抜、個別プログラムの形成・実施、単位・成績互換、時として学位審査や共同教材の開発と管理の問題もある。こうして提供する教育プログラムの質の保証に関しては、九州大学をはじめそれぞれの大学に「国際教育フレームワーク委員会」を設置し、定期的に協議をしてプログラムの運営にあたった。

図4　スクールオンザムーブの概念と構成　（渡邊教授提供）

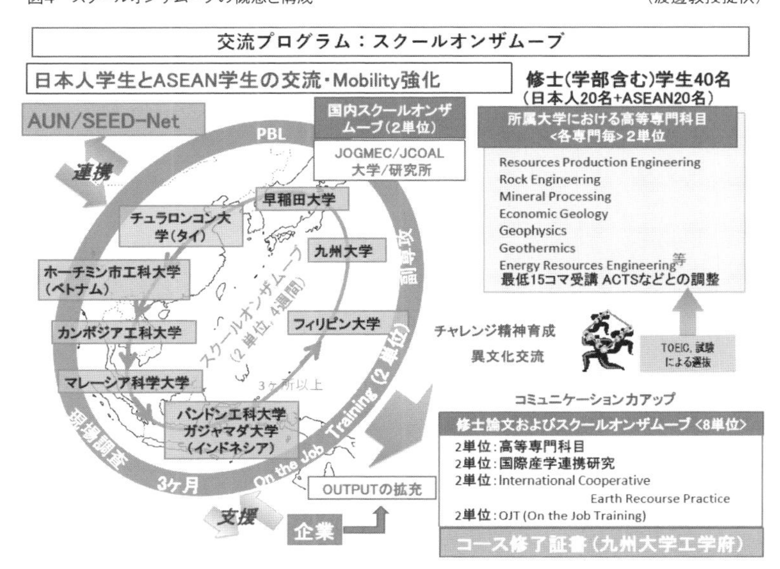

さらには、教職員一体の学生支援組織である「Campus ASEANオフィス」を九州大学内に設置し、プログラムに参加する学生に対して、在籍管理や生活支援、企業等の冠奨学金獲得支援、就職情報の提供などきめ細やかな学生支援を行った。

難しいダブルディグリープログラムの創設

ダブルディグリープログラムは、今でこそ日本国内の高等教育分野において「市民権」を得ている感があるが、渡邊教授が「大学の世界展開力強化事業」に応募すべく構想を練っていた2012年当時は、日本国内では必ずしも浸透していなかった。

2つの異なる国の大学において、単位互換制度を活用し、1人の学生が同一または半年ほどズレた学年期で、異なる2つの大学に学籍を置いて修学し、両大学からそれぞれ学位を授与されるダブルディグリープログラム。学位のために申請する単位の一部は、修得した1つの単位を2つの大学の学位申請に使用することもある。

国境を越えて地域統合がなされ、地域として社会・経済の発展が前提となっている欧州においては、経済活動のグローバル展開とそのために必要な労働力の供給、地域としての一体的社会の調和のため、こうした仕組みの必要性と有効性がいち早く認められ実施されていた。

が、日本の高等教育は出遅れていた。というよりも、その必要性と有効性の認識が薄かったというべきか。高等教育の法制度や成熟度は国によって異なり、さらには国や大学によってレベルが異なるのが現実。こうしたギャップがある中で、国境を越えて大学間で学生が双方向で交流、しかもそれぞれの大学が学位を授与することに抵抗感があった。仮に大学レベルで同等性が見込まれるとして、それを確認・保証する仕組みの整備・運用、つまり教育の質とレベルの保証をすることの煩雑さへの抵抗感があった。さらには、部分的といえど、1つの単位を2つの学位申請に使うこと、いわゆる、「1粒で2度おいしい」ということに対する嫌悪感。また、講義を実施する教員本人の立場に立てば、英語による教材の作成と英語での講義実施が求められる。大変な業務負荷の追加である。教務事務を担っている職員にとっても学籍管理や単位認定手続きなどの新たな業務が、しかも英語での業務が追加される。教職員個人にとってその対価として得られるものはあるのか。

また、学生の立場に立てば、パートナーとなる大学の学位が魅力的であるかどうか。そして、大学の教育・研究レベルもさることながら、追加される時間と労力、お金をかけてまで受講したいと思う魅力的な教育プログラムなのか。自大学にない講義内容や事業現場の視察、研究用データの収集の可能性、さらには海外渡航費などの修学に要する費用の獲得ができるかなど、実利的な点でも丁寧な検討が求められる。

渡邊教授が「大学の世界展開力強化事業」の企画を検討する1～2年前のこと。強みとなる専門分野が異なり、社会文化、言語も異なる中で、学生を協働で育成することの意義を感じていた渡邊教授は、慶應義塾大学のSEED-Net国内支援委員が主催するダブルディグリープログラムに関する国際セミナーに参加していた。そのセミナーに登壇した教員はスウェーデン・ルンド大学から来ていた。1600年代に創設されたスウェーデンで伝統と格式のあるトップレベルの大学である。

「これだ！」――プレゼンテーションを聞いた渡邊教授は、資源工学分野でダブルディグリープログラムを始めようと強く思った。そこで、ワークショップ会場にいたルンド大学の教員にいきなり声をかけ、九州大学とルンド大学のダブルディグリープログラムの創設につき提案をした。欧州で経験豊富なスウェーデン側との話はとんとん拍子で進んだ。

が、問題は自らの大学であった。案の定、教授会でかなり強い反対にあった。渡邊教授は粘った。グローバルに活躍する人材の育成が、これからの時代の資源工学教育に求められている。日本の資源工学教育においてグローバル化は必須である。反対意見の教授陣に対し、欧州でのダブルディグリープログラムの取り組みとその教育的効果、慶應義塾大学や他の大学の取り組みを調べて懇切丁寧に説明した。時として、熱を込めて激しい議論を展開した。

最終的には渡邊教授の熱意が粘り勝ち。九州大学とルンド大学との間でのダブルディグリープログラムが実施されることになった。

意外にも、アセアン側の抵抗にあう

渡邊教授が思案していた「大学の世界展開力強化事業」の企画は、日本とアセアンの異なる大学で、それぞれの得意とする領域を相互補完する共同、そして協働の教育プログラムだ。「国際インターンシップ」、「スクールオンザムーブ」の先には、ダブルディグリープログラムがあった。修士号を授与する正規課程プログラムである。より本格的にグローバルな高度研究者・高度技術者を育成するためのプログラム。是非、この企画に盛り込みたい。

幸いなことに、九州大学内の調整は、スウェーデン・ルンド大学との先例があり、大きな抵抗はなかった。

が、アセアン側の抵抗にあった。ダブルディグリープログラムの創設相手として想定した大学は、インドネシアのバンドン工科大学とガジャマダ大学、さらにタイのチュラロンコン大学。これまでSEED-Netの資源工学分野で共に活動してきた大学だけに意外であった。

正規課程の新設は、単に留学生を受け入れるとか研究指導をするというのとは重みが違う。大学内で関係する教職員の範囲も広がるし、業務も増える。当時、バンドン工科大学でも協働する関係者にダブルディグリープログラムの経験がなく、その発想もなかった。修士課程のダブルディグリープログラムを創設する場合、既存の修士課程プログラムをベースにするが、すでにそれぞれの大学で完成したカリキュラムがあり、長年、修士課

程の教育を行い、修士を輩出してきていた。それぞれの大学において講義の受講順序など既定の修学ルールが定められているが、両大学で整合性のある教育プログラムにするためには、長年実施してきたカリキュラムの変更が必要であった。当の講義を担う教員への影響も大きい。

それでも、バンドン工科大学で教鞭を執るSEED-Netの仲間を頼りに、何度もバンドンに足を運び、教育効果の説明と説得を繰り返した。ここでも渡邊教授の粘りが勝った。最初の持ちかけから3年を経てようやく実現に漕ぎつけた。

その後、ガジャマダ大学との間でもダブルディグリープログラムを開始し、インドネシア人の学生、日本人の学生が両大学で学んで修士号を授与された。「国際インターンシップ」、「スクールオンザムーブ」に次いで、「修士課程ダブルディグリープログラム」の創設。ここに、当初計画した学部・大学院の一貫した日本と東南アジアのビルドアップ式の包括的国際共同教育プログラムが完成した。

何がそこまで、渡邊教授を駆り立てたのだろうか。やはり自身が、SEED-Netを通じて東南アジアの仲間と協働することの意義と楽しさを感じていたからにほかならない。そこには、渡邊教授を後継者としてSEED-Net事業に引き込み、東南アジアと日本の「同じ釜の飯を食べた師弟関係」を通じた人材育成事業の意義と楽しさを理解するきっかけを作ってくれた内野教授への想いもあった。「日本とアセアンの大学間で共同教育プログラムを創設できんかなぁ…」。内野教授の口癖が、渡邊教授の耳朶(みみたぶ)に今も残っている。

日本とアセアン——協働の中でともに学ぶ

九州大学をはじめ、事業の共同提案者にあたる早稲田大学、アセアンの各大学関係者の理解と多大な努力により実施された「大学の世界展開力強化事業：地球資源工学グローバル人材養成のための学部・大学院ビルドアップ協働教育プログラム」。所定の5年間の事業実施期間で、日本人学生延べ約270名、アセアンの参加大学学生は延べ約150名、合計420名がこのプログラムで学んだ。さらにダブルディグリープログラムは、文部科学省による支援期間終了後も継続されている。

「このプログラムに参加し、異なる国、異なる大学、異なる専攻の多くの学生と友人になることができた。サマースクールをみんなで1つの家族のように楽しむことができた。多くのことを学ぶことができたが、特に実践的知識とコミュニケーション力を身につけることができた。さらには、自分がグループ討議のチームリーダーに選ばれたので、チームマネジメント力も学ぶことができた」。

「私がこのプログラムで得たことは、異なるバックグランドの学生と、大変多くの討議とコミュニケーションの機会を持てたことだ」。

「このプログラムの良かった点の1つは、異なる視点を得ることができたこと。経済的視点、技術、理論など多くの情報を得たが、国により課題や視点が異なることを学んだ。例えば、炭鉱を訪問したが、日本では安全が最重要事項になっているが、東南アジアのある国では多少危険でも安い労働力を歓迎する考え方であった」。

プログラムに参加した学生の感想の一部である。まさに、このプログラムのアドバンテージを突いたコメントである。プログラムでは、母国とは異なる資源分野の現場を見ながら、それぞれ異なる先生から講義・指導を受ける。そして、英語でグループ討議をして、その結果をまとめてプレゼンテーションを行う。多くの国籍の学生が一緒になって、座学、フィールド調査、ディスカッションと発表、そして現地研究に学ぶ。違う国の違う大学の学生が一緒に学ぶことの意義は大きい。こうした経験を通じ、チャレンジ精神旺盛な行動力、高度で実践的専門知識と深い洞察力、実践的なコミュニケーション能力、そして異文化の理解力を身につけることができる。そして、グローバルな高度人材へと成長する端緒を見つけることができるのだ。

このプログラムに参加した日本人学生の多くは修士課程を修了し、世界的にビジネスを展開する鉱山会社やプラントエンジニアリング会社、エネルギー関連企業、総合商社の資源部門などで働き、海外で活躍している。時折、海外にいる卒業生からメールが届くこともあり、渡邊教授はその活躍ぶりに目を細めている。

SEED-Netで形成した日本とアセアンの師弟関係に根差した研究者のネットワークを、次世代の教育の「場」の創設に発展させることができた。教育において重要なことの1つは、学生に「場」を提供することであろう。そして、必要に応じて、多少の支援と多少のアドバイスを提供すること。内発的動機付けを得た学生は、そのチャンスを自ら活かし、自らどんどん成長し、あらゆるポジションで社会を支える人材となる。理想的な教育のあり方ともいえる。

「お互いを信頼するということは、目線の高さが同じということであり、これが必要最低条件である」――渡邊教授は、SEED-Netの日本とアセアンのネットワークを振り返り、こう述懐する。自身も途上国の仲間と協働することで学び、成長することができた。先進国の日本と途上国のアセアン諸国。

2016年8月、インドネシア・スマトラ島の石灰石鉱山でサマースクールを実施
（渡邊教授提供）

役割は違えど、協働の中で共に学ぶことがある。「イコールパートナーシップ」の精神である。渡邊教授は、この精神を共同教育プログラムの中で日本の学生に学んでもらい、アセアンの学生と共に実践的経験を積み、交流を行うことで相互に高め合うことを期待している。そして、新たな世代のネットワークを構築しつつ、グローバル人材に育って欲しいと強く願っている。

2016年8月、インドネシア・スマトラ島でサマースクールを実施　（渡邊教授提供）

2016年9月、プログラムの中で日本国内（四国）の巡検を実施。アセアンからの学生と九州大学、早稲田大学の学生が交流を深めた　（渡邊教授提供）

第5章

SEED-Net はなぜ成功したのか

日本政府がSEED-Netに関する基本方針をアセアンのトップ外交の場で表明した、1997年12月の「橋本イニシアティブ」から四半世紀。そして、事業の枠組みを各国政府高官と関係大学の学長の間での合意により活動を開始した、2001年4月の「協力枠組文書（Cooperative Framework）」の署名式から20年余り。関係者の多大な努力により、SEED-Netは多くの事業成果を挙げた。

この20年超の事業期間は準備フェーズを含めて5つに区切られ、区切りのタイミングで実施状況をレビューし、次期フェーズの新たな事業目標の設定と実施枠組みの補正を行い、必要な活動の精査、オペレーション方法の改善などを図ってきた。

様々な活動を実施し幾多の様々な成果を出してきたが、第1章で述べたとおり、その中核事業は「メンバー大学の教員または教員候補者の高位学位（修士号、博士号）の取得支援を中心にした学位取得支援プログラム」である。また、そこから生まれる教員と学生、学生と学生の信頼に根差した人のつながりこそが、何にも代えがたいSEED-Netの財産といえる。

事業のスタートから2022年までに、延べ1,400名を超える若者にその機会を提供してきた。通常の奨学金支援プログラムとして、単に奨学金を付与して修士または博士を輩出したということではない。SEED-Netならではの大きな意義がある。

1つは、対象者をメンバー大学の教員または教員になることを志望している者に絞ったことにある。教員は、意識するかしないかは別にして、自身の学生に対して知識のみならず、自身が受けた教育の経験やその理念をも伝承する。人格と人格のぶつかり合いの教育の現場において全人教育の一端を担い、何年にもわたり次世代の人材を輩出していく大変重要な役割を担う。SEED-Netにおいて、それは、工学という学術的知識のみならず、異なる文化背景、異なる価値観の中の対話を通じて生み出される相互理解と融和、そして地域の平和と安定へと通じる道である。

次に、メンバー大学を各国の工学分野のトップレベルの大学に厳しく絞った点にある。決して偏差値の高低でその大学を識別する意図はないが、途上国においては、各国におけるトップレベルの大学の教員が政府の高官やアドバイザーになったり、閣僚に就任するなど、政策の立案に関与しているのが実態である。事実、SEED-Netの学位取得支援プログラムの修了者ではないが、事業運営に携わったメンバー大学の工学部長などの関係者の何名かは、大学での勤務を終えた後、教育省や文化・芸術省の大臣や長官、科学技術省の副大臣、気象庁の長官となり活躍している。第2章で挙げたように、SEED-Net修了生の中にも関係省庁の局長として活躍している者もおり、将来、このような立場で活躍する者が増えると期待できる。

第3に「頭脳」のアジア域内還流である。従来、東南アジアの各国の優秀な学生は、修士号や博士号を取得するために欧米の大学院を目指す傾向にあった。そして、時として修了後、魅力的な就職の機会と高収入ゆえにそのまま修学先の国・大学に残るケースが見られた。いわゆる、「頭脳流出」である。これに対してSEED-Netは、学部時代の成績トップ10%以内に入る優秀な学部卒業生に対象を絞り、東南アジア域内、または日本で高位学位取得を支援し、そして母校に戻って教鞭を取らせる仕組みを採った。いわばアジア域内の「頭脳還流」を図ったのである。

そして最後は、日本を含めたアジアの連携と、連帯のための礎の構築である。すでに紹介したとおり、SEED-Netの学位取得支援プログラムは、アセアンの他国または日本の大学に留学する仕組みであり、東南アジア域内への留学においても、本邦支援大学の教員が留学生の研究活動を共同指導することになっている。さらには、アセアンで分野別に留学生を受け入れる大学を固定することにより、複数の他のメンバー国からの学生が集まり、一緒に学ぶ同窓生となる。そこに日本の教員も参画する。これによりアセアンメンバー国間、そこに日本も入ったアジアの連携と連帯が構築されてきた。

このようにSEED-Netは、アセアンと日本の長期的連携と連帯の枠組みを作り、その基盤を築いてきた。今、2023年3月を以ってJICAの技術協力プロジェクトとしての活動に終止符を打ち、新たなステージに進もうとしている。本章ではSEED-Netが何ゆえにこれほどの成果を出すことができたのか、その要因を分析する。

工学分野の高度人材育成を地域の連携事業に

これまでも触れてきたとおり、SEED-Netを始めたきっかけは1997年に発生したアジア経済危機である。アジア経済危機の教訓を踏まえた改革や対処は多岐にわたったが、その中の1つが産業人材の育成であった。アセアン各国、とりわけ先発アセアン諸国において、自国の安い労働力を武器に外国の製造業を誘致し、工業製品の組み立て拠点を確立する労働集約型産業を主軸に置く産業構造を転換し、技術集約型産業、知識集約型産業へとシフトすることの重要性が認識されていた。各国における工学系高等教育機関の教育能力の向上、そして質の高い教育を提供できるようになるためにも研究能力の向上が求められた。

奇しくも1997年は、2020年までに「ASEAN共同体」の形成を目指すという「ASEANビジョン2020」が採択された年である。アセアン加盟国が1つの地域共同体となり、国境を越えて域内で相互連携を深めていくことが、国家レベルで合意された年であった。その後、アセアン共同体の形成のために、加盟国は様々な分野において域内連結性向上のための取り組みを具体化させていく。「アセアン共同体」を構成する「政治・安全保障共同体」「経済共同体」「社会・文化共同体」という3つの共同体に対し、高等教育分野は様々な領域で貢献し得るが、それを運営するにあたり、「地域」を理解した高度人材の育成が急務であった。

アセアン域内において協働で工学分野の高度人材を育成する、そのための高等教育機関の教育・研究能力を向上させるという命題は、アセアンという地域共同体にとって、また、アセアンに加盟する各国にとって疑う余地のない共通の外交課題であった。

地域共通の課題やアセット（財産）があった

アセアンのメンバー国は、第一に共通の課題を多く有している。例えば、インドネシア、フィリピン、マレーシアといった国々は、地震や火山噴火による被災の恐れを常に持っている。また、言うまでもなく、気候変動や環境問題は世界共通の課題であり、東南アジア諸国の共通課題である。同時に、東南アジア地域は、エネルギー分野では地熱エネルギーや太陽エネルギーといった次世代代替エネルギー、また天然素材分野では、この地域固有の環境負荷の少ない次世代天然素材の宝庫でもある。

SEED-Netでは、こういった地域共通の課題・アセットを有する多くの分野を活動の対象とし、それらを解決するために、また、財産の事業化を進めるために必要な人材を、学位取得支援プログラムを通じて育成し、その学位取得支援プログラムと連動させて共同研究プログラムを実施することにより研究活動を支援した。こういった地域共通の課題・アセットへの取り組みは、SEED-Netに参加するメンバー大学にとっての共通の関心事であり、ゆえに積極的な関与を引き出すことができたといえる。また、それぞれの国・大学・研究者が異なる知見・技術を域内各国から持ち寄ることにより、これらの共通課題に効果的に対処することが可能となった。

2004年12月に発生したスマトラ島沖地震に伴う津波災害や、2006年5月に発生したインドネシア・ジャワ島中部地震に、SEED-Netメンバー大学が協働して対応し効果的な対策を実現したのは1つの好例である。第4章で紹介した、アセアンと日本の双方の学生を対象とした実践的協働教育プログラムを積極的に形成・実施できたのも、背景は同じである。

その他にも、機械工学分野では太陽エネルギーの食品加工応用に関する共同研究、材料工学分野では天然繊維の強化プラスチックスへの利用に関する共同研究が実施されるなど、地域共通課題に対する多くの研究が実施されている。

逆に言えば、こういった共通の課題・アセットがあったがゆえに、国を越えた大学間でネットワークを形成でき、形成されたネットワークも継続的に機能することができたと考えられる。

国・大学の発展段階に基づく事業枠組みの形成

SEED-Netには、日本以外にアセアンから10カ国26大学が参画している。これらの国々、大学ごとの教育・研究レベルには大きな差があるのが実態である。事業の枠組みの形成に取り組んだ2000年前後、すでに国際レベルの教育・研究を行い、優秀な教員と学生を集めていたシンガポールもあれば、国内で初の総合大学を創設したばかりのラオスも存在した。このように格差の大きい国・大学を同一に扱って事業枠組みを形成することはできない。シンガポールとの比較でなくても、タイやマレーシアなどアセアンの中進国との関係においても同様である。工学系高等教育の人材育成が必要、大学の教育・研究能力の向上が求められるといっても、その具体的なニーズとその課題解決のためのアプローチは国や大学によってまちまちだ。

SEED-Netは学位取得支援プログラムを中核に据えたが、その際、メンバー国・大学間で役割分担を明確にした。すなわち、教員の高位学位（修士号、博士号）取得を通じて教育・研究能力を高めることが優先される国・大学と、大学院にそうした留学生を受け入れ、日本の大学教員の助言・協力を得ながら国際共同研究を実施することにより、大学院プログラムのレベル向上と国際化を図りたい国・大学。これらを明確に役割分担させることにより、利益の相克を回避し、相互利益のもとで連携する構図とした。いわゆる、「win-winの関係」を基底に据えたのである。

限られた資源を集中投下

SEED-Netは、JICAが持つ様々なスキームのうちの技術協力事業を利用し、技術協力プロジェクトの1つとして実施してきた。財源は貴重な日本の公的資金、税金であり、使える予算にも制約がある。この限られた貴重な資金を、アセアン10カ国26大学を対象として、その教育・研究能力向上のための支援に集中投下したのである。

より効果的に支出し、目に見える成果を出すため、中核事業である学位取得支援プログラムにおいて、工学各分野で留学生を受け入れるホスト大学を厳選した。これに加えて、国際共同研究を行うためのプログラムを含む学位取得支援プログラム以外の活動を、原則として学位取得支援プログラムと関連付けた。本邦支援大学の助言・協力を得つつ、ホスト大学が当該工学分野のSEED-Netにおける「Center of Excellence」となり、分野別活動を一元的に推進できる体制にした。これにより投入資源が分散されることを防ぎ、異なるプログラム同士の相乗効果を狙った。特に留学生の受け入れと国際共同研究を行うための活動は、後述する大学の国際化推進という世界的潮流の中で、大きな意味を持つことになった。

また、事業発足当初から、ドナーである日本からすべての資金を提供するのではなく、アセアン側のオーナーシップと事業の持続性の観点から、メンバー国やメンバー大学自らが活動費の一部を負担するコストシェアを推奨してきた。その結果として、各分野のホスト大学となったメンバー大学において、留学生の授業料免除や入学手続き費用の免除、学生の研究費支援などのコストシェアが進んだ。例えば、分野別の域内国際学術会議を開催するにあたり、ホスト大学以外の大学が主催を希望することがあったが、開催費用の一部負担を条件とするなど、メンバー大学間で競争原理とコストシェアを紐づける工夫も行った。

また、国境を跨（また）ぐ多くのメンバー大学が連携して活動するネットワーク型事業として、ホスト大学以外の、異なる専門性や知見を有する他のメンバー大学の教員による諸活動への参画を得ることにより、ホスト大学と本邦支援大学のみならず、広く域内でより適切なリソースを活用することが可能となった。

留学事業を軸にした事業枠組み

他の多くの学術ネットワークやJICAの技術協力プロジェクトの活動が、短期間の人的交流や学生の交換、共同研究、技術指導といったものであるのに対し、SEED-Netはメンバー大学の教育・研究能力向上のため、2年あるいは3年の留学事業を中核に据えた。留学生となったメンバー大学の若手教員が、受け入れ先のアセアンのホスト大学の指導教員、本邦大学の共同指導教員、そしてそこに同じように他のメンバー大学から留学して来ている学生と、長期間にわたり交流することが可能となった。

留学を通じて研究室のなかで「ファミリー」を形成し、「同じ釜の飯を食べる間柄」となる。学生は学位取得後、それぞれの国・大学に戻り、同じ分野で研究活動を引き続き実施する。同じ研究室を卒業し各国に戻った仲間は、将来にわたる有力な連携相手、パートナーであり、卒業生のネットワークが活かされていく。

実際のところ、SEED-Netでもこのネットワークを活用して、さらに教員の研究能力向上を支援するフォローアップとして、元指導教員と元学生という師弟関係（垂直の関係）に基づく共同研究や、SEED-Netの修了生同士の関係（水平の関係）に基づく共同研究の活動も支援している。また、すでに紹介したように、形成されたネットワークを活用してSEED-NetやJICA以外の事業予算を獲得して、大学間の学術活動も実施されている。

本邦大学にとっても利益のある事業枠組み

ハッキリ言って、一般的に本邦支援大学の教員にとって、JICAの途上国支援事業に参画することは余分な仕事である。本邦教員は日々の教育活動や研究活動のほか、大学・学部等の運営に関する業務に追われている。ただでさえ時間がない。そこに途上国の大学の教育・研究能力の向上を支援するODAに協力してくれと言われても、なかなか「はい、わかりました」とは言えない。途上国支援に協力するとなると、その活動に必要な資料の準備をし、JICAの専門家として現地に出張することになる。大学を不在にしている間、自身が行うべき講義のほか、大学・学部等の運営に関する業務を他の教員にお願いすることもあるだろう。昨今、大学の経営方針として、「教育」と「研究」に加えて、「社会貢献」を掲げる大学があるが、それでもやはり余分な負担であり周囲への気兼ねも出る。

実は、本邦大学の教員の協力を得やすい仕組みがSEED-Netにあった。それは、国際共同研究の活動と留学生受入を事業枠組みの中に組み込み、中心に据えたことである。

SEED-Netは大学院レベルの研究指導を通じたメンバー大学、そして教員を対象とした支援であり、その内容と実績は本邦教員の研究活動と直結させることができる。本邦教員自らの研究活動をそこに入れ込むことができる。時には、JICA以外の外部の競争的研究資金を獲得するにあたり、海外の研究パートナーや調査対象サイトの存在など、有益な研究計画を立案することに役立つこともあった。

また、SEED-Netのメンバー大学は、後発アセアン諸国を中心にまだ発展途上にある大学もあるが、どの大学もそれぞれの国を代表する大学であり、そこには各国の優秀な教員や学生が集まっている。メンバー大学のこういった優秀な若手教員を自大学の正規博士課程に入学させることによって、自らの研究室の研究活動を発展させるとともに、本邦大学としては昨今競争が激しくなっている留学生獲得、とりわけ私費留学生を獲得することができるのである。

さらに、SEED-Netフェーズ4では、メンバー大学と本邦大学の間で、単位の互換やダブルディグリープログラムなどの国際的な共同教育プログラムを開発することを活動の中に盛り込んでいる。これは、メンバー大学側の教育能力向上を支援しつつ、本邦大学における長期/短期留学生の獲得につなげることができる。今日、教育課程に多様性を確保することで日本人学生の国際性を涵養し、グローバル人材へと育て上げることが期待されている中、アセアン側の関連事業現場の視察や国際色豊かな環境での日本人学生の学びの機会の提供ともなり、本邦大学にとって最重要事業の教育活動にも貢献することができる。

ただし、こうした活動が有効なケースとして、相手国大学の教育・研究レベルや活動する分野の特徴にも留意が必要である。言わずもがなであるが、本邦大学とのレベル差が大きいとなかなか難しい。協力の対象として、その国のトップレベルの大学を選ぶことが重要なポイントとなる。SEED-Netの場合、最初のメンバー大学選定において、この点には強く拘ったところである。

また分野については、途上国の工学分野の協力となると、電気・電子、機械、土木、化学などがまず挙げられるが、特に電気・電子や機械の分野は途上国で最先端の研究につながるテーマを見出すことが難しい。このためこうした分野の本邦教員は、JICA事業への協力に二の足を踏むことが多いのも事実である。そうは言っても工学分野の教育能力向上支援といった場合、こうした主要工学分野は避けて通れず、必ず途上国側から支援要請が出される分野である。うまい工夫が必要である。

グローバル社会の到来と大学の国際化の流れ

「時の流れ」または、「時宜に適った」とでも言うべきであろうか。2000年代に入り、中国、東南アジアを含むアジア諸国の経済発展や各国の外交的動き、各国の政策が追い風になった。経済発展に伴い、高等教育への進学が広く国民の手の届くところとなり、高等教育への進学率が増加、言い換えれば高等教育の大衆化が進んだ。

そしてインターネットやSNSの普及により、日常的に世界中で情報の発信がなされ、いつでもどこでも様々な情報を入手することができるようになり、多くの人、とりわけ若者にとって「外国」が身近に感じられるようになった。

こうした背景に加え、東南アジア地域においては、アセアン統合に向けた各国の政治・外交的動き、各国の高等教育政策や留学事業政策（留学生向け奨学金制度の拡充を含む）、そして各国大学の国際化（英語による教育プログラムの提供と留学生受け入れ体制の整備）により、留学生の数が大幅に増加する傾向を示した。

2000年代前半以降になると、大学の世界ランキングが始められ、一種の大学のグローバルな序列化がなされた。各大学のみならず各国の高等教育を所管する省庁はこれに注目し、自国大学のランキングを上げる取り組みを始めた。主要ランキングであるTHEやQSの大学ランキングでは、「国際化」の評価指標として外国人学生の比率や国際共著論文の比率も含まれており、留学生の獲得や高いレベルでの国際共同研究の実施が強く推進され、これが各国政府や大学による留学生獲得競争に拍車をかけた。

大学院レベルの優秀な学生による域内留学プログラムを主軸に据えたSEED-Netの事業戦略は、まさにこうした動きに先んじるものであった。

いつまでやるの？と問われつつ22年間

「いつまでやるの？」。SEED-Netに関係しているJICAの事務方がフェーズ3の実施を検討しているとき、当時のJICA理事長である緒方貞子氏はこう問いかけた。

SEED-NetをJICA事業として実施している限り、JICA事業としての性質による制約を受けるのは当然である。日本のODAの基本理念は、途上国のオーナーシップとそれに基づく持続性にある。つまり、日本は途上国政府が主体的に実施する事業に対し、一定期間の期間限定で支援を行い、所定の期間を終えた後は途上国自身でその事業を継続してもらうことを前提としている。もとより貴重な税金を使った事業であり、原資にも限りがある。そして世界中の途上国からJICAに対して、様々な分野で毎年数多くの協力要請が出されている。

「いつまでやるのか」。この問いかけはSEED-Netに限らず、多くのJICA技術協力プロジェクトに常に投げかけられる問いである。そして、理事長に限らず、JICA職員ならば一度は、いずれかの事業に対して問いかけた経験のある言葉であろう。小西自身、担当課長であった2009年秋、当時のチーフアドバイザーであった豊橋技術科学大学の堤和男・名誉教授にぶつけたことがある。その時、堤・名誉教授から、「『JICA人』はすぐにそれを言う。教育事業は5年や10年で成るものではない」とたしなめられたことをよく覚えている。と同時に、「そうは言っても、限られた予算で途上国から数多くの協力要請に応えなければならず、それもJICAの責任なんです」と心の中でつぶやいた。

JICAの技術協力プロジェクトの場合、通常、その期間は5年程度。SEED-Netは準備期間の2年間を含めると合計22年の事業となる。ただし、この22年間は、準備フェーズの2年を除き、残り20年間は5年ごとに4つのフェーズに分け、フェーズごとに事業目標の達成状況を確認のうえ、次フェーズの実施の要否を検討し、必要に応じて事業枠組みの補正を行ってきた。この間、フェーズの切り替えの度に、「いつまでやるの？」の問いにさらされながらも、22年間実施してきた。そして延べ1,400名を超える東南アジア各国のトップレベルの大学の教員、または教員を志す者に高位学位取得の機会を提供し、ネットワークを形成してきたのである。長く事業をやっていれば、その人数も増えて当然という向きもあるかも知れないが、ただ2年、3年と限られた期間で、いきなり留学してきた学生に学位を出すこと、とりわけ博士号を授与するほどの研究実績を出すことは大変なことである。本人の能力と努力もさることながら、アセアンと日本の指導教員の方々の忍耐・苦労と、各国行政官ほか関係者の深い理解と協力により、こうした実績を残すことができた。まさに「継続は力なり」である。

コラム⑥ SEED-Netのレガシー

公益社団法人 土木学会　会長　上田 多門

私はSEED-Netが始まった2000年代前半から土木工学分野でプロジェクトに参画するとともに、2014年からはチーフアドバイザーとしてSEED-Net全体のマネジメントを担ってきた。この経験を踏まえ、SEED-Netの意義について語りたい。

SEED-Netがその目標であるアセアンでの工学高等教育分野の人材育成を達成したのはSEED-Netが示す統計数値から明白である。SEED-Netの素晴らしさはそれにとどまらず、素晴らしいレガシーを残していることにある。アセアン内に工学高等教育人材育成のシステム自体を構築するとともに、国境を超えたそのネットワークをも構築したことにある。もちろん、この20年の時代の流れに沿ったアセアンの教育・研究水準の向上もあるが、インターナショナルな人材育成システムに必要な英語による教育、インターナショナルモビリティを伴う教育の導入に、SEED-Netは先駆的な役割を果たし、アセアンの主要大学にそれを根づかせた。この成功は、アセアンのSEED-Netのメンバー大学以外、さらには、工学以外の分野の注目も浴びることにつながっている。

SEED-Netが始まった当初は、アセアンと日本との教育・研究水準との差異から、土木とその周辺分野以外では、教育・研究を共同で行う必要性が日本では見られなかったが、今やSEED-Netがカバーするほぼすべての工学分野で、アセアンの主要大学は日本の大学のイコールパートナーとなっている。この意味でも、SEED-Netが20年かけて作り上げたレガシーは日本にとっても重要である。今やアセアンの主要大学は、アセアンの後発国に対してだけでなく、南アジアやアフリカの大学とも教育・研究を共同で行うようになり、現在の日本政府の政策にも合致している。つまり、アセアンの大学が日本と手をつなぎながらインド太平洋地域の工学高等教育人材育成を行っているのである。

SEED-Netのレガシーはまだある。教育・研究の成果を公表・議論する場としての地域国際会議、インターナショナルジャーナルの発刊、同窓会設立である。これらもアセアン内のネットワーク強化に果たしている役割は大きい。

こうしたレガシーを日本として失う選択肢はないはずである。今後JICAがSEED-Netから手を引けば、このレガシーを他の国が活用するに違いない。JICAとして、これからもSEED-Netのレガシーを活用したプロジェクトを継続していくべきである。例えば、工学分野に必要な、特に開発途上国の将来に必要な、産業界との連携を主眼に置いたプロジェクトはその一例となり得る。今後のSEED-Netの展開に、これまでのコンセプトを脱却し、アセアンと関係の深い東アジアの中国と

2019年の運営委員会会議後のSEED-Net事務局のメンバーの集合写真

韓国とも協働して活動を進めるのも一案であろう。これが功を奏すれば、SEED-Netのレガシーを日本として持ち続けるためにも効果的である。

最後に、別の観点でのSEED-Netのレガシーについて述べたい。それはSEED-Net事務局のタイ人のチームメンバーである。20年間継続してSEED-Net事務局にいた人はいないが、フェーズ4の終了時点で残っているメンバーは、そのチームワーク、仕事の質、人柄と言い、申し分がない。JICAの日本人専門家も太鼓判を押している。JICAとしてこの人材を失う選択肢もないと強く感じる。この点も含めて、SEED-Netのレガシーを日本として持ち続ける策をJICAとしては、是非、講じるべきである。

コラム⑦ SEED-Netのアセットを共に開かれたグローバルな社会の構築に

公益財団法人 笹川平和財団　理事長　角南 篤

私がSEED-Netと出会うきっかけとなったのは、確か2010年5月頃であったと思う。JICAの担当部長が部下の人とともに私の研究室を訪ねて来て、SEED-Netの概要を説明したうえで、この事業の意義の検証と今後のあり方を提言する有識者委員会の委員に就任して欲しいとの依頼がなされた。より具体的には、2008年に始まったSEED-Netフェーズ2の次の展開をどうするべきか助言が欲しいとのことだった。当時、私は政策研究大学院大学に勤務しつつ、日本政府に対して科学技術政策や高等教育の国際化政策に関する助言を行っていた。

SEED-Netのコンセプトを聞いた時、日本が優位性を持つ工学分野の事業であり、日本とアセアンに加盟する10カ国の各国トップレベルの大学が協働して大学院レベルの教育・研究活動を行っていることに強い関心を持ったことを覚えている。特に国境を超えた国際共同研究は、異なる価値や視点からイノベーティブな発想を育み、技術革新へとつながる可能性を有している。また高等教育における国際化の必要性、高度人材のグローバル化に日本の大学が参画していくことの必要性を痛感していたからである。東南アジアにおける高等教育の国際化と連携強化に、日本がイニシアティブを取ることの意義も感じた。

その後、有識者委員会の活動の一環としてタイを訪問し、関係機関へのヒアリングと意見交換を行った。その中にタイの高等教育局も含まれていた。協議の中で局長は、インドと中国を挙げ、2つの地域大国に挟まれるこの東南アジア地域が、個々の国ではなく1つの地域として連携し、共同体として高度人材を育成していくことの重要性を力説していた。私自身、この話を聞き、強く感じるところがあった。当時は、昨今のように覇権主義国家による国際秩序への挑戦が激化する前であり、また自国第一主義やイスラム過激派の台頭もまだ見られなかった。世界的にもアジア的にも国際協調、グローバル化が謳われていた時期でもあった。そうした中においても、常に国際的な観点から高等教育の位置付けを捉える必要性については、高等教育、さらには科学技術が導き得るイノーベーションが、国際社会における国家の立ち位置を大きく変え得る可能性を有しており、大変重要な視点であると考えていたからである。昨今の言葉で言えば、「経済安全保障」にも通じるものといえる。

後日、JICAの役員から「SEED-Netをフェーズ2終了後も続けるべきか」との諮問を受けたが、私自身は「疑義を挟む余地はない。その価値は十分にある」と即答した。その後、SEED-Netはフェーズ3、フェーズ4と実施され、今、JICAの技術協力プロジェクトという形から「卒業」しようとしていると聞いた。依然として、日本と東南アジアの一部の国との間では高等教育のレベルにおいてギャップがあるかも知れないが、これからのアジアは、「援助する側」「援助される側」という発想を捨て、共に開かれたグローバル社会を構築していくという理念であるべきだろう。SEED-Netで築かれた大学間ネットワークのアセットは、それを実現する可能性を秘めており、今後の展開に期待する。また、同時に、SEED-Netで得た貴重な経験が、SDGsの解決につながる持続可能な経済発展を担う人材の育成モデルとして、アジアのみならずアフリカ、中東、中南米など全世界で活用されることを願っている。

SEED-Netフェーズ3の協力枠組文書の署名式(2012年11月、バンコク)におけるSEED-Netのあり方に関する意見交換会で議長を務める筆者(右：角南氏)

エピローグ

25年の時を経て

2022年夏のある日曜日の朝。小西と梅宮はオンライン会議をやっていた。小西は首都圏にある自宅の自室から、梅宮は出張先のインドネシア・バンドンのホテルの一室から、モニター越しにSEED-Netについて語り合う。

アジア経済危機が起こり、SEED-Netの出発点となった「橋本イニシアティブ」の発表から25年が経った。この間、世界は大きく変化した。25年前にはインターネットがようやく民生で使用されつつあり、電子メールも徐々に普及し始めた頃。もちろんスマホも存在しなかった。日頃のコミュニケーションは固定電話とFAXであった。まさか25年後に、世界中のどこにいても個人同士でオンライン会議ができるようになるなど想像だにできなかった。この25年間の技術の進歩は目覚ましい。そして、紆余曲折を経ながらも東南アジアの社会・経済も進歩を遂げた。高等教育も然りである。

小西と梅宮の手元には、JICA本部とSEED-Net事務局が作成した、JICA技術協力プロジェクトフェーズ4としてのSEED-Net終了後の方向性を示した文書がある。1997年12月の日ASEAN首脳会議から25年、2001年4月のSEED-Net設立総会から22年が経過しようとしている今、改めてこの長い歴史を想い、これからの将来に想いを馳(は)せる。

25年前に何もわからない若年のJICAタイ事務所員が夢想した東南アジアの分野別大学間ネットワーク。彼のアイデアは不採用となったが、似て非なる素晴らしい事業が形成され、多くの人たちの努力のもと、多大な成果を生んだ。

22年間、学位取得支援プログラムを主軸に置きながらも、それ以外にも様々な事業を実施してきた。分野別の学術会議の継続的開催、産学連携促進のための助言委員会の設置、産学連携共同研究、技術経営（MOT）の理解促進、アセアン域内の国際学術ジャーナルの発刊など。

2018年に始まったフェーズ4においては、それまでの活動で構築・強化されたメンバー大学間のネットワークをベースに、日系または現地企業も参画した産学連携による共同教育プログラムが行われている。ここでは、アセアンと日本の大学院生（修士または博士、あるいは両方の課程の学生）を対象にしたダブルディグリープログラムが実施され、教育・研究活動が行われている。またSEED-Net以外のところでも、「大学の世界展開力強化事業」を活用した国際共同教育プログラムのほか、同じく文部科学省を主務官庁とする科学技術振興機構（JST）の予算を獲得した国際共同研究も行われている。各大学が条件の整った分野・領域ごとに大学コンソーシアムを形成し、自発的に教育・研究活動を実施している。

こうした活動は、従来のSEED-Netのアセアンのメンバー大学に留まらず、インドなど南アジア、そして中東やアフリカ諸国の大学にまでネットワークを拡大している。本邦の大学においても、従来のSEED-Net支援大学以外の大学も参画している。アフリカにおいてもさらなる経済発展のために高等教育が果たし得る役割が各国政府によって強く認識されている。アフリカ54カ国が加盟するアフリカ連合（AU）も、かつてアセアンが日本とともにSEED-Netを作り、域内の大学間のネットワークを構築し高等教育の底上げを図ったように、汎アフリカ大学構想を推進するなどアフリカ域内の大学間ネットワークへの取り組みを推進している。SEED-Netは東南アジアにおいて先行し成功を収めた大学間ネットワークとして、アフリカなど他地域に参考になる経験や教訓を多く有している。実際、JICAはSEED-Netのメンバー大学とアフリカの拠点大学をつなぎ、学術交流をすでに開始している。日本がSEED-Netとともにアフリカの高等教育支援に乗り出しているのである。このように、SEED-Netを軸として、その教育・研究活動は広く世界へと展開されている。

2001年に始まったSEED-Netであるが、2023年3月を以ってJICAの技術協力プロジェクトによる事業を終え、新たなステージへと進むことになる。この20余年にわたるSEED-Netの活動の成果は何か。最も重要なものは、「オーナーシップ」と「イコールパートナー」の意識のもと、人と人の信頼に基づく大学教員同士のネットワークであろう。この何にも代えがたいネットワークを基盤にして、アジアにおける平和と共存共栄のため、相互理解と深い見識を持つ次世代の人材が陸続と輩出されていくことを願っている。

2022年12月16日にバンコクで開催された第27回運営委員会。SEED-Netプロジェクト全期間を通じて最後の運営委員会となった　（SEED-Net事務局提供）

プロジェクト最終年度の2022年9月にSEED-Net事務局を訪問した梅宮（後列右から3人目）。SEED-Netの運営を支える日本人専門家やタイ人スタッフと

2022年12月に笹川平和財団・角南理事長（元SEED-Net助言委員会委員、後列左から3人目）と小西（後列左から4人目）

あとがき

本書は、その起点となる基本方針を日本政府がアセアン外交の場で発表した日ASEAN首脳会議から3年半の事業形成期間を経て2001年4月に発足した、JICAの技術協力事業であるアセアン工学系高等教育ネットワークプロジェクト（SEED-Net）の22年間の事業成果を、数ある活動の中でも学位取得支援プログラムを中心に、人と人の触れ合いに焦点を当てて描いたものである。22年間の事業、しかもアセアン10カ国の大規模な事業。そこに関与した人の数は計り知れない。JICA職員でさえ数多くいる。そのなかで、人事異動によりJICA内で所属する部署が替わり、関与のポジショニングが変化しても、長年にわたりSEED-Netに何らかの形で関与し続けて来た小西と梅宮の2名でその成果を、ヒューマンストーリーとして執筆した。SEED-Netを学術的研究の題材として研究し、論考にまとめたものは、参考文献・資料欄にも記載のとおり、梅宮のものをはじめいくつか存在するが、このように読み物としてまとめたのは初めてであろう。

約25年前に始まった、国境を跨いだユニークな国際ネットワーク型技術協力プロジェクトの形成・実施は、二国間協力を主たる事業領域とするJICAにとって初めての経験の連続であった。そうしたユニークな経験は、本文で紹介した人材育成とネットワークの形成を通じたメンバー大学の教育・研究能力の向上という財産とは別の意味での財産となり得る。その財産が時の経過とともに散逸するのは残念であり、いつかどこかで記録に留めておきたいと、小西はプロジェクト形成に至る貴重な資料を保管し続けてきた。今回、その一部ではあるが、こうして活字にして世に出すことができたことは望外の喜びである。

基本構想発表から25年、22年間の事業実施。この間、アセアン、日本の数多くの人がこのSEED-Netという事業に関与してきた。メンバー大学の若手教員や学生、研究指導の教員、プロジェクトの運営に関わってきた学長や学部長、各国教育省や外務省などの援助調整省庁。ASEAN事務局やAUN事務局。日本側に目を向ければ、留学生の受け入れをはじめとした研究指導などの学術活動に参画いただいた本邦大学の教職員の方々、プロジェクト運営に助言をいただいた先生。また外務省や文部科学省などの省庁。そして本部と東南アジア各国におけるJICA事務所の職員。挙げだしたらキリがない。多くの人たちの理解と協力の中で、こうした壮大な事業を実施することができた。SEED-Netを形成し、実施監理に携わった者として、この場をお借りして、そのすべての方に御礼を申し上げたい。

残念ながら25年間の時間の経過の中で、そのうちの何名かはお亡くなりになられた。

2000年代前半まで長年JICAの工学分野の高等教育事業に助言をくださり、SEED-Netの初代国内支援委員長であられた西野文雄先生。調査団として一緒に東南アジアに出張すると、毎夜夕食後にはホテルの先生の部屋にみんなで集まり、東南アジアと日本の共存共栄の夢を語り合った。

SEED-Netフェーズ1からフェーズ2にかけてチーフアドバイザーを務めていただき、本書の中にも登場する堤和男先生。プロジェクトの実施においてその時々に発生する問題に対して常に冷静に助言くださった。

同じ歳であったこともあり、小西に率直に意見をくれ、時に大喧嘩をしながらも同志として、SEED-Netの形成に共に働いた南部良一さんは38歳の若さでこの世を去った。

こうした方々に今日のSEED-Netの姿を見ていただけないことはとても残念である。このほかにも、域内修士号取得支援プログラムで留学中に体調を崩して母国に戻る途中で亡くなった学生もいた。こうした人たちを含め、数えきれない多くの人たちの人生の時間の中にSEED-Netが存在する。

本書を通じて著者の2人が最も伝えたかったことは、信頼に基づく人と人のつながりであり、それは援助する側とされる側の立場を超えて「イコールパートナー」として交わる中で形成されていくものであること、この信頼に基づくつながりが共存共栄の社会を作っていくということである。

25年間の活動をわずかな文字数の本書にまとめたので必ずしも十分に伝えきれていないところがあるかも知れない。それでも本書を手に取ってくださった方々、とりわけこれからの社会を担う若い人たちが国際協力への理解や関心を少しでも深めてくだされば、筆者としてこれに勝る喜びはない。極力わかりやすい表現になるよう心掛けたが、不明な点があればご容赦いただきたい。

末筆ながら、本書出版の機会と原稿執筆に助言をいただいたJICA緒方貞子平和開発研究所の牧野耕司さん、山田実さん、増古恵都子さん、高旗瑛美さん、そして制作にあたりご尽力いただいた（株）佐伯コミュニケーションズのスタッフの皆様に心から御礼申し上げる。また、書籍執筆にあたって一部JSPS科研費JP22K20253の支援を受けたことにも感謝したい。

なお、ここに記載されている様々な見解はJICAの公式な見解ではなく、あくまでも筆者2人の個人的見解であることをご理解いただきたい。

2022年11月

小西伸幸　　梅宮直樹

資料・裏話

本「資料・裏話」は、ストーリー性の観点から本篇に掲載しなかった情報、特にSEED-Netのマネジメントに関する実務的な情報をまとめている。本篇をお読みいただき、さらに詳細を知りたいと思われた方に一読いただければ幸いである。

プロジェクト創設期　1997-2002年

1. SEED-Net基本事業枠組み検討・形成

SEED-Net形成の初期に考えられた二重のネットワーク構想

1998年初頭、日本側が当初考えたSEED-Netのアイデアは、「拠点」と「ネットワーク」の形成・連携によるアセアン地域全体の高等教育のレベルアップにあった。

「拠点」とは、アセアン域内の高等教育強化のための拠点となり得る大学（学部）を各国1～2大学選出し、これを「National Center」とする。選出基準は日本の協力実績があること、または当該国において最もレベルの高い学部。この「National Center」は、自国の教育・研究活動において指導的役割を担うこと、自国内またはアセアン他国の大学からの留学生の受け入れや学術セミナーの開催等により、自国を含むアセアン全体の教育および学生のレベル向上に貢献することが期待された。日本は、こうした「National Center」に認定された各国の大学に対して、JICAの技術協力や、有償資金協力や無償資金協力を優先的に実施し、各国政府は優秀な人材の域外流出を防ぐための教員の待遇改善（給与や研究費の増額など）や施設・機材整備を重点的に取り組むことが期待された。

「ネットワーク」については、2つのネットワークが企画された。1つは既述の「National Center」なる大学間で域内に形成する国際学術ネットワーク。教員同士が国境を越えて研究活動を行うことにより研究・教育能力の向上を図ると共に、単位の相互認定システムを導入して、学生に国際的で質の高い教育の機会を提供するものである。もう1つは、自国内の学術ネットワーク。1つの国の中で「National Center」に認定された大学が、それ以外の同一国内の他大学から「国内留学生」を受け入れたり、他大学の教員を対象に短期研修やセミナー、共同研究を実施するものである。また文部科学省予算の国費留学生事業を使い、優秀な教員を本邦大学に受け入れることも含まれていた。

さらには、こうしたネットワークの活動の事業計画立案と進捗をモニタリングして助言する機能として、日本の関係省庁やJICA等事業実施機関、大学から成る「ASEAN高等教育協力・本邦運営委員会」と、各国の活動を管理し本邦運営委員会に報告する国別の「ASEAN高等教育協力・現地運営委員会」の二重構造の運営・管理体制が企画された。

なお、域内国際ネットワークの仕組みでは、アセアンの国別に選出する各「National Center」が担当する学術分野（例：土木工学、機械工学、電気工学など）を違えることにより、全体としてバーチャルな「ASEAN大学」の創設と捉えることもできる、との意見も出されていた。

当初は経営と工学の２分野が検討された

アジア経済危機の前夜、タイをはじめとするマレーシア、インドネシアなどのアセアン先発加盟国では、急速な経済発展を遂げつつも、先進技術製品を研究開発する地場の製造企業は育っていなかった。低廉な労働力を狙った外国資本による大手製造業の組立工場が多く、その下請けとなる地場の中小企業や裾野産業は脆弱で、経常収支赤字が増加し易い経済状況に陥っていた。また金融セクターが未成熟で不良債権も増加していた。こうした産業構造と経済状況への懸念がアジア経済危機を招いた一側面ともいわれている。そして、その原因の一端は、中間技術者や管理者の供給が産業界の需要に追いついていないとの指摘が日本政府内でなされた。

このアジア経済危機の教訓を踏まえ、アセアン加盟国の人材不足は技術者とマネージャーであり、これらを育成するためには域内各国の大学において工学分野と、経営学修士（MBA）など経営分野の教育能力向上が必要と考えられた。この点、当時の事業構想案を記したペーパーには、支援対象として「工学部」と並んで「経営学部」という言葉が記されている。

それが何ゆえに工学分野に絞られたのか。答えは単純で、当時の日本政府の認識として、MBAは欧米が主流であり、日本で実践的経営学を途上国の大学教員に指導できるリソース、特にこの分野で途上国支援という開発協力に携わろうという人材を見つけることが困難であると思われたこと。技術指導を受ける側のアセアン側においても、シンガポールを除き知見を吸収し対応し得る人材を見つけることが難しいと思われたからである。

加えて、事業の基本構想が過去のアセアン各国に対する日本の高等教育分野の協力成果（過去に日本が支援した、あるいは支援している大学）を活用した事業とするとしたが、過去の協力実績として工学分野は多くあったが、経営学は皆無であった。実際、インドネシア国内の高等教育水準の向上のため、1990年代にJICAがアメリカ合衆国国際開発庁（USAID）と共同で実施した協力事業では、USAIDは基礎科学と経営学を、JICAは工学を担っていた。

日本側で検討を重ねた結果、1998年5月に沖縄で開催された日本とアセアンによるアセアンの社会経済の開発に係る協議「日ASEAN開発ラウンドテーブル」において、日本側から産業界との連携強化と共に、「経済の持続的発展のためには、特に技術者等を養成するための理工系高等教育のさらなる改善が必要」と、対象を理工系高等教育に絞る提案がなされ、アセアン側の同意を得た。ここに工学分野を対象とした国際的な大学間ネットワーク事業の形成がスタートすることとなった。

その後のアセアン側関係者との協議を通じて、経済、社会、文化など工学以外の分野を含めることの要望が幾度となく出された。これに対し、日本側は本事業がアジア経済危機を教訓としてアセアンの経済発展に資するための事業であること、日本の過去の高等教育分野の協力実績を活用すること（工学分野での協力がほとんど）などから工学に絞るとしている。

ただし後年の話になるが、経営学や経済学については、経済発展に直接的に貢献し得ることから、2000年のSEED-Net設立準備会合時のプロジェクト・ペーパーなどに、経営学など他の分野への対象分野の拡大の可能性が記述されるなど、その可能性に含みが残された。

日本の対アセアン首脳外交におけるSEED-Net

政府開発援助（ODA）は外交の一部であり、日本の外交政策ツールの1つとして活用されているという側面を持っている。政府のコミットメントがあるがゆえに、高い事業効果を出すこともできる。また、そのような首脳レベルの外交の機会を活用して途上国側のコミットメントを高め、円滑なプロジェクト形成・実施の土台を作るということもある。

1997年12月、マレーシア・クアラルンプールで開催された日ASEAN首脳会議において、橋本龍太郎首相（当時）により「これまでの協力の成果をも活用し、我が国の進出企業の協力も得て、理工系等の高等教育等の強化のため弾みがつくような協力を検討していきたい」（主旨）との発言がなされた。これは、同時に発言された5年間で2万人に対する研修実施を目指す「総合人材育成プログラム」と共に「橋本イニシアティブ」と呼称され、その後、その時々の日本およびアセアンの首脳レベルの外交的コミットメントの中で、芽を出し、葉を広げ、花を咲かせてきた。1997年の「橋本イニシアティブ」以降、1999年のASEAN＋3会合での小渕恵三首相（当時）による「小渕プラン」をはじめとするハイレベルの日アセアン外交の機会においてハイライトされ、その度に事業実施に向けた関係者の熱意は高まり、2001年4月のSEED-Net設立に至ったが、それ以降も、時として首脳級の日アセアン外交においてSEED-Netが言及された。

以下は日ASEAN首脳会議における議長声明や行動計画などでSEED-Netまたは関連事項が発言または記載されたものである。

- 1997年12月、日ASEAN非公式首脳会議（クアラルンプール）
  橋本首相（当時）が「橋本イニシアティブ」を発表。[1)]
- 1999年11月、ASEAN+3会議（マニラ）
  小渕首相（当時）が「小渕プラン」10項目の中でSEED-Netの名前（ASEAN工学系高等教育ネットワーク創設への支援）を具体的に挙げてその形成に言及。[2)]
- 2000年11月、日ASEAN首脳会議（マニラ）
  森喜郎首相（当時）がSEED-Netの創設準備状況を報告。タイ・チュアン首相（当時）が「SEED-Netは重要度の高いプロジェクトである」と応じた。
- 2003年12月、日ASEAN特別首脳会議（東京）
  行動計画の中で、SEED-Netを通じた理工系人材の育成促進をすると記載された。[3)]
- 2005年12月、第9回 日ASEAN首脳会議（クアラルンプール）
  議長声明において、日本の高等教育の交流事業に対して謝意が記載された。[4)]
- 2010年10月、第13回 日ASEAN首脳会議（ハノイ）
  議長声明においてSEED-Netの実施につき謝意が明記された。[5)]
- 2011年11月、第14回 日ASEAN首脳会議（バリ）
  発表されたバリ宣言において、日ASEAN40周年を記念する共同事

1）https://www.mofa.go.jp/mofaj/kaidan/kiroku/s_hashi/arc_97/asean97/kaigi.html 「橋本総理の ASEAN との首脳会議」（外務省 HP）

2）https://www.mofa.go.jp/mofaj/area/asean/initiat.html 「小渕総理の ASEAN ＋ 3 首脳会議における主要表明事項」（外務省 HP）

3）https://asean.org/the-asean-japan-plan-of-action/ 日 ASEAN 特別首脳会議の「The ASEAN-Japan Plan of Action」（ASEAN 事務局 HP）

4）https://www.mofa.go.jp/mofaj/kaidan/s_koi/asean05/p_ship_y.html 「第 9 回日 ASEAN 首脳会議共同声明『日 ASEAN 戦略的パートナーシップの深化と拡大』」（外務省 HP）

5）https://asean.org/chairmans-statement-of-the-13th-asean-japan-summit/ 第 13 回 日 ASEAN 首脳会議の「Chairman’ s Statement」（ASEAN 事務局 HP）

業の行動計画の中にSEED-Netが明記された。[6]

- 2013年10月、第16回 日ASEAN首脳会議（バンダル・スリ・ブガワン）
  議長声明にてSEED-Netフェーズ3開始に謝意が明記された。[7]
- 2016年9月、第19回 日ASEAN首脳会議（ヴィエンチャン）
  議長声明にてアセアンの人的連結性を促進している成功事例の1つとしてSEED-Netフェーズ3が明記された。[8]

なお、首脳ではないが、岸田外務大臣（当時）が2016年5月にバンコクを訪問した際、タイ・チュラロンコン大学でASEAN政策スピーチ（題目：多様性と連結性－パートナーとしての日本の役割）を行い、この中で人材育成とアセアンの連結性向上の好事例事業としてSEED-Netを紹介している。[9]

また、2018年8月に開催されたASEAN+3外相会議（シンガポール）において河野外務大臣（当時）が、日本はSEED-Netを通じてアセアンの高度で熟練した技術を持つ人材育成を支援していく、と述べている。[10]

SEED-Net事務局の設置候補は3カ国あった

1998年12月にJICA本部がタイなど東南アジアに派遣した調査団の結

6) 小西伸幸「アセアン工学系高等教育ネットワークプロジェクト　フェーズ3　初期活動実績報告書（2013年度及び2014年度上期）」2014

7) https://asean.org/wp-content/uploads/images/Statement/chairman%20statement%20of%20the%2016th%20asean-japan%20summit%20-%20as%20of%2010%20october%202013%20-%20final.pdf 「CHAIRMAN'S STATEMENT OF THE 16TH ASEAN- - JAPAN SUMMIT」（ASEAN事務局HP）

8) https://asean.org/chairmans-statement-of-the-19th-asean-japan-summit/ 「Chairman's Statement of The 19th ASEAN-Japan Summit」（ASEAN事務局HP）

9) https://www.mofa.go.jp/mofaj/a_o/rp/page3_001675.html 「岸田外務大臣ASEAN政策スピーチ「多様性と連結性 - パートナーとしての日本の役割」（外務省HP）

10) https://www.mofa.go.jp/mofaj/a_o/rp/page4_004253.html 「第19回ASEAN＋3（日中韓）外相会議概要」（外務省HP）

論として、SEED-Netを、バンコクに事務局を擁するアセアン大学ネットワーク（AUN）の工学系サブネットワークに位置付ける方針が日本サイドで決定された。しかしながら、ネットワークの事務局をバンコクに設置することまでは決めていなかった。ネットワークの位置付けと事務局のロケーションは必ずしも一体で考える必要性はない。そもそもSEED-NetはAUNのサブネットワークなので、個別の事務局を新設する必要はなく、大本のAUNの事務局により管理・運営されるべきではないかとの意見もあった。その一方で、工学分野の事業であり、AUNから明確に独立した事務局を設置して管理・運営するべきという意見も出されていた。

当時バンコクに設置されていたAUN事務局であるが、実はバンコクでの設置はあくまで期間限定のものであり、当初のAUNの規定ではAUN事務局はアセアン加盟国間でローテーションすることになっていた。こうしたなか、タイ政府はアセアンの中で高等教育の大学間交流のイニシアティブを取るべく、このAUN事務局をバンコクに常設することを企図した。結果、タイ政府は閣議決定を経て、1999年6月のAUN評議会においてAUN事務局をバンコクに常設することを提案し、承認を得た。その後、2000年3月には、それまで大学庁舎内におかれていたAUN事務局が、チュラロンコン大学内に移設された。

翻って、SEED-Netの事務局をどこの国に設置するか。1998年初めに本事業の構想を企画した初期段階では、日本側はインドネシア・バンドン工科大学内に設置することを素案にしていた。SEED-Netの立ち上げ準備と初期段階において、東南アジア地域におけるJICAの工学系高等教育事業の1つである「高等教育開発計画（HEDS）プロジェクト[11]」の中心的役

11）HEDSプロジェクトは、JICAと米国の援助実施機関であるUSAIDによるインドネシアへの日米共同支援プロジェクトである。1990年代を中心にインドネシアのスマトラとカリマンタンにおける11の大学の教員の高位学位取得支援と共同研究により、インドネシアの高等教育水準向上を支援した。USAIDはインドネシアの大学教員の米国への留学支援を主な協力として実施した。

割を担っていたインドネシアのバンドン工科大学を通じて蓄積された日本とアセアン（インドネシア）側関係者の人脈と経験値を活かし、手堅く活動を開始できると考えたからである。

他方でSEED-Netが、バンコクに事務局を常設することになったAUNの工学系サブネットワークとすることが決定された。この点からタイ・チュラロンコン大学に事務局を設置する理屈もあり得る。

さらには、域内の航空路線のハブであること、アセアン加盟国の中で最も高い水準の高等教育機関を擁しており、アセアンのリーダーに相応しいという理由でシンガポールも検討されていた。

こうした3つの国が候補として考えられる中、特定の国がSEED-Netの活動の主導権を永続的に握ることを牽制する観点から、SEED-Net事務局長は一定の任期ごとに異なる国の者が就任するべきであり、その事務局も事務局長の交代と共に事務局長の国籍の国に移動させるという案も日本側の検討の俎上（そじょう）に乗っており、さらに事態を複雑にしていた。

SEED-Net構想の検討に、1997年12月の「橋本イニシアティブ」発表以来タイで関わってきた小西としては、「SEED-NetはAUNと共にあるべき」と強く考えていた。これは事務局の物理的なロケーションも含めてである。

1999年11月のある時、AUN事務局長との事業構想案に関する協議のなかで、同事務局長から「SEED-Net事務局の所在が事務局長の交代のたびに移動するとなると、経費が嵩み、手続きの面で非常に煩雑になるので、事務局の所在地は恒久的なものにしてはどうか」との意見が出された。これを好機と捉えた小西は、JICA本部に対して熱く意見具申をした。すなわち、SEED-Netの活動の安定を考えると一定の場所に常設するべきであり、域内の工学系高等教育の現状と今後の発展の可能性、政治・社会の安定性、地理的な条件、本構想立ち上げの経緯、タイに常設が確定しているAUN事務局との関係を考慮すると、タイにSEED-Net事務局を常設するべき、だと。

小西の熱い思いが通じたのかどうかわからないが、最終的に日本の外務省およびJICA本部はSEED-Net事務局をタイに常設することを決定した。

事務局のバンコク設置決定と暫定事務局長の就任

2000年4月初め、外務省から在タイ日本大使館に対し、SEED-Net暫定事務局（この時点ではSEED-Net自体が正式に立ち上がっていないため暫定事務局という位置付け）をAUN事務局（バンコク・チュラロンコン大学）内に設置すること、正式にSEED-Netが立ち上がり工学分野の学識経験者が事務局長に任命されるまでの間、AUN事務局長にSEED-Net暫定事務局長を兼務してもらうことにつき、タイ側と調整するよう指示が出された。

当時のAUN事務局長は、スパチャイ氏。チュラロンコン大学政治学部の准教授として教鞭を執るとともに、AUN事務局長として東南アジアをはじめとして世界を忙しく飛び回っていた。そのなかにおいて、優秀なAUN事務局のスタッフをSEED-Netの担当者とし、常に一緒にSEED-Netのあり方の協議に時間を割いてくれていた。

小西は在タイ日本大使館関係者と共に、スパチャイAUN事務局長を訪問してこの日本政府の意思を伝達したところ、事務局長からは「日本政府が自分を信頼していただいたことを意気に感じており、喜んでご提案をお受けしたい」と快諾を得た。

その後、スパチャイ事務局長は、JICAが派遣したSEED-Net立ち上げ準備のための日本人専門家をAUN事務局兼SEED-Net暫定事務局に温かく迎え入れ、SEED-Net基本構想の最終化とAUN評議会での説明・同意取り付け、アセアン加盟各国のAUN評議員を通じたSEED-Netメンバー大学の選出協力依頼、2000年11月のSEED-Net設立準備委員会開催、2001年4月のSEED-Net設立式典開催と、SEED-Netの創設に多大な貢献を果たすことになった。まさに、日本側からの期待を意気に感

AUN事務局長のスパチャイ氏（右）およびAUN事務局職員（左）と写真に収まる小西

じ、「信頼」と共に激走したSEED-Net立ち上げ準備であった。

2. メンバー大学選定過程

変化するメンバー大学選定の考え方

あらゆる事業においてステークホルダーの立ち位置と関与は重要である。それが事業実施の主体者であれば事業の成否を左右しかねない。SEED-Netの創設においてメンバー大学の選出は最重要イベントの1つであった。そのメンバー大学の選出基準。これは日本側が事業の基本コンセプトを吟味し、アセアン側関係者と協議を重ねる中で変化してきている。

1997年12月に打ち出された「橋本イニシアティブ」では、「これまでの協力の成果をも活用し、我が国の進出企業の協力も得て、理工系等の高等教育等の強化のため弾みがつくような協力を検討していきたい」（主旨）としており、アセアン各国における過去の日本の協力も活用することが明言されている。このためSEED-Netの原案ともいえる最初の基本構想を日本側で作成するにあたり、アセアン各国に対する高等教育分野の事業実績をレビューし、支援実績のある大学をネットワークにおける拠点大学にすることを想定していた。

他方で、大学において工学分野の教育・研究能力を高めるためには、高いレベルの研究活動が必須であり、そうした大学が参画してネットワークを形成しつつ研究活動のレベルを上げていくことが期待された。現実的なところとして、過去の日本が協力した大学群と各国におけるトップレベルの大学群との間で、時として異同が生じるのが実態である。これは、ODA予算を使った日本の協力では相手国政府からの要請に基づくことに依る。決して相手国の言いなりになっている訳ではなく、提出された要請を検討し協力事業のターゲットの選定につき両国で協議をしているが、やはり相手国の意向を尊重する面がある。また、低い能力を引き上げるために協力をするという、開発協力事業本来の事業趣旨に依るところも大きく、これまでの日

図5　メンバー大学選定の考え方の変遷（関係資料から小西が作成）

時期	イベント	メンバー大学の選定の考え方	備考
1998年2月	基本構想案作成	拠点となる大学（学部）をそれぞれの国に指定する。各国政府と協議のうえ決定するが、日本の協力実績のある学部またはその国において最もレベルの高い学部。	日本側のみのアイデア
1998年5月	日ASEAN開発ラウンドテーブル	アセアン各国の大学の中から中核となる大学を選び、自国内や域内他国の大学のレベル向上を目指す。日本がすでに域内で協力している大学同士のネットワークの活用・拡充も検討し得る。	アセアン側に提示
1998年11月	JICA調査団方針	各国1～4大学を選出してネットワークを形成し、その中で特定分野において域内で他の参加大学を学術的にリードできる大学を拠点大学とする。 ※この調査活動の結果により、検討中の高等教育ネットワーク事業をAUNのサブネットワークと位置付けることにした。	JIAC調査団が訪問したタイ、インドネシア、フィリピン関係者に提示
1999年5～6月	コンセプト・ペーパー案の説明	メンバー大学は、各国において工学分野でトップレベルの学科を有する大学を2校（原則）から構成される。現在AUNメンバー大学である必要性はない。	AUN事務局を含むアセアン側に提示
2000年6～7月	JICA調査団方針	各国において工学分野でトップレベルの研究能力を有する大学1～2校選出する。 ※過去に日本の協力を得ている大学も考慮されるが、レベル次第では対象外となる。 ※現在AUNメンバー大学である必要性はない。	AUN事務局側に提示
2000年10月	公式選出依頼	・各国の高等教育所管省庁が各国における工学分野でトップレベルの大学を2校（原則）選出する。 ・工学部を有する現在のAUNメンバー大学も推奨。 ・工学部全体ではトップレベルでなくても、いくつかの学科がトップレベルで過去に日本の協力を得たことのある大学も推奨され得る。	AUN事務局長兼SEED-Net暫定事務局長が各国関係省庁に推薦依頼

本の協力は各国におけるトップレベルの大学というよりも、少し開発が遅れているが成長の可能性を有している大学を協力対象とすることが多かった。

日本側で基本構想案を作成してから、公式にメンバー大学の選定基準が定まり、メンバー大学選定がなされるまでの約２年半の間の主な時点におけるメンバー大学選定の考え方は次のとおりである。事業全体のコンセプトの変化とともに変化しているが、ポイントは「トップレベル」「日本の過去の協力」「AUNメンバー大学」の３点といえる。

メンバー大学選定基準に関するJICAとAUN事務局との意見の相違

国際協力において大事なことは何か。様々あろうが、その1つは「妥協」だと思う。

異なる経済状況、異なる文化・風習と価値観の中で協働する国際協力の活動は「妥協」の連続である。ただし、これは自分が考えるベストな選択肢を得られないのでやむを得ずセカンド・ベストを選択するというよりも、背景の異なる者が互いの意見とアイデアを出し合い、「より良いベスト」を見い出す行為であり、そのプロセスの中で異文化への理解と共感の醸成、そして関係者のオーナーシップが生まれる。

SEED-Netメンバー大学の選定基準の変遷はすでに述べたとおりであるが、この基準決定のプロセスにおいて、一時、事業の形成そのものを振り出しに戻しかねない深刻な事態が発生した。それは2000年7月、日本からタイに来訪したJICA調査団とタイ大学庁、AUN事務局との協議の中で勃発した。

伏線はあった。産業界の発展、特に組立製造から製品開発を行う産業へのシフト、産業の高度化に貢献し得る人材を域内各国に輩出するべく、メンバー国の大学の教育・研究能力を高めるためのSEED-Net。メンバー大学も各国の工学分野で知識的に優秀な学生を多く集めているトップレベルの大学を選ぶ必要があった。さらには、途上国においてトップレベルの大学の教員は政府のアドバイザーを委嘱されているケースも多く、当該国の高等教育行政のあり方を改善し得る可能性もある。このため日本は、SEED-Netメンバー大学の選定基準を、「各国において工学分野でトップレベルの研究能力を有する大学を1～2校」と考えていた。

他方で、スパチャイAUN事務局長の考えは違った。「工学部を有するAUNのメンバー大学は、希望すればSEED-Netに必ず参加できる」と考えていた。SEED-NetをAUNのサブネットワークと位置付け、日本政府から公式文書で、タイ政府、AUN評議会議長、そして自身に対して、その旨が伝えられると共に、SEED-Net暫定事務局のAUN事務局内への設置と、自身へのSEED-Net暫定事務局長への就任依頼がなされた経緯がある。これを意気に感じたスパチャイ氏は、AUN評議会メンバーおよびAUNメンバー大学、各国の高等教育所管省庁からの理解を得られるよう、無報酬ながら身を粉にしてその努力をしてきた。こうした背景の下、スパチャイ氏としては、AUNメンバー大学のうち工学部を有するのであればSEED-Netメンバー大学になり得ると考えていた。

6月半ば、翌月のJICA調査団の派遣準備の一環として、在タイ日本大使館担当者、JICAからSEED-Net暫定事務局に派遣されているJICA専門家と共にスパチャイ氏と事前協議をした小西は、両者のギャップに気づき愕然とした。「これはまずい」。スパチャイ氏からは、これまでAUNのサブネットワークとして設立するSEED-Netのコンセプトを各国高等教育所管省庁の事務次官級職員で構成されるAUN評議会などで説明してきた立場として、「東京サイドの案に基づき、工学部を有しているAUNメンバー大学が、これら大学の意思にも関わらずSEED-Netに参加できないことになれば、SEED-NetをAUNのサブネットワークとすること自体の理解が得られなくなるだろう」との危惧が示された。

こうした事態を受け、小西は早速JICA本部に現場の状況を報告のうえ意見具申をした。具体的には、メンバー大学選定基準を、①各国において工学分野でトップレベルの研究能力を有する大学、②AUNメンバーで工学部を有する大学、③日本から長年の協力を得ている大学、として、各国政府は条件を満たす大学を最大3校まで選出することができる、という対案であった。「日本から長年の協力を得ている大学」という要件は、JICA側のこれまでの基本コンセプトの検討プロセスで議論の俎上に上がっていたこと、タイにはモンクット王工科大学ラカバン校（KMITL）という、当時、約40年に及ぶJICAをはじめとする日本の協力により、電気通信分野の職業訓練センターからタイ国内一流の大学に成長した大学の存在があったからに外ならない。

メンバー大学選出基準設定を巡るJICAとAUN事務局のぶつかり合い

残念ながら、小西の対案は受け入れられなかった。

7月に東京から来タイしたJICA調査団が持参したメンバー大学選定基準は、「工学分野でトップレベルの研究能力を有する大学で、その資格を有すると判断される大学が3校以上ある場合は、日本からの技術協力を受けた十分な実績を有する大学を優先し、原則、最大2校まで選出」であった。

果たして、JICA調査団とタイ側、とりわけスパチャイ氏との協議は紛糾した。これまで日本側の意向を踏まえてアセアン側と調整をしてきた立場として、アセアン側を代表するAUN事務局の意見が全く聞き入れられないことにいらだちが示された。会議中、「日本が独自の大学ネットワークを作り、運営したいのであれば自由にやってもらって結構。何の障害もない。ただしAUN事務局は協力しない」との発言が繰り返された。スパチャイ氏の日本側に対する不信感は頂点に達し、会議後には「日本はAUNやチュラロンコン大学の名前、AUNのアセアン・コネクション、そしてAUN事務局の施設とマンパワーを利用したいだけなのか」との発言までなされた。

こうした事態を踏まえ、小西はJICA本部に対してクレームした。面子を重んじるタイ人のメンタリティーへの配慮が欠けていたこと、「AUN」を背負っているスパチャイ事務局長の立場への配慮が欲しかったこと、そしてAUN事務局長が受け入れられない日本側の案を押し通した結果としてAUNのサブネットワークという位置付けを破棄されることを危惧し、善処を求めた。

JICA本部の反応は賢明かつ素早かった。早速、外務省など関係者と協議し、①各国の高等教育所管省庁が各国における工学分野でトップレベルの大学を2校（原則）選出する、②工学部を有する現在のAUNメンバー大学も推奨される、③工学部全体ではトップレベルでなくても、いくつかの学科がトップレベルで過去に日本の協力を得たことのある大学も推奨され得る、というメンバー大学選定基準が提示された。1点目は各国政府の判断に委ねるということで、その判断に対して日本は口を挟まないということを意味した。

JICAタイ事務所は早速このJICA本部案をレターにし、とりなしの機会として、所長を筆頭にスパチャイ氏と夕食の機会を持った。JICAタイ事務所長は、若い頃にもタイ事務所に勤務した経験を有する柔和な人であった。話題はタイの文化事情やタイでの生活などにも及び、会食は終始和やかで、スパチャイ氏からは「日本側の最終提案はAUN側の事情を考慮してくれていて感謝している。SEED-Netの成功のために自分は全力を尽くしたい」との発言がなされた。さらに、「タイのことを知っている人がタイ事務所のトップであることをうれしく思う」との発言もあった。

「雨降って地固まる」である。こうして一時は事業実施の危機に直面したSEED-Netの準備は、再びAUNのサブネットワークという事業として、そして強力に進められることになった。

メンバー大学の選出プロセスの変遷

すでに述べたとおりメンバー大学の選定は事業の成否に大きな影響を与

える重要イベントである。

各国で選ばれるメンバー大学は、各国の工学分野の中心拠点（Center of Excellence）としてSEED-Net事業の中で教育・研究能力向上のための支援を受けるが、その成果を各国内の非メンバー大学にも共有することも期待された。

AUN事務局からの依頼に基づき、最終的には選定基準を踏まえて各国高等教育所管省庁が選定した。その際、限られた期間でメンバー大学選定が円滑に行われ、かつ日本側の関心も反映されることを期待し、各国の

図6　日本側が考えたメンバー大学の変遷

国名	大学名	工学部有＊1	日本協力＊2	AUNメンバー大学	日本案1998年	日本案2000年	結果＊3
ブルネイ	ブルネイ大学	▲	×	●	●	×	●
	ブルネイ工科大学	●	●	×	×	●	●
カンボジア	王立プノンペン大学	▲	×	●	×	×	×
	カンボジア工科大学	●	×	×	●	●	●
インドネシア	バンドン工科大学	●	●	×	●	●	●
	ガジャマダ大学	●	×	●	×	●	●
	インドネシア大学	●	×	●	●	●	×
ラオス	ラオス国立大学	●	●	●	●	●	●
マレーシア	マラヤ大学	●	●	●	●	●	●
	マレーシア科学大学	●	×	●	×	●	●
ミャンマー	ヤンゴン大学	▲	×	●	×	×	●
	ヤンゴン工科大学	●	×	×	●	●	●
	経済大学	×	×	●	×	×	×
	マンダレー工科大学	●	×	×	×	●	×
フィリピン	フィリピン大学ディリマン校	●	●	●	●	●	●
	デ・ラサール大学	●	×	●	×	●	●
	フィリピン工科大学	●	●	×	●	×	×
シンガポール	シンガポール国立大学	●	×	●	●	●	●
	ナンヤン工科大学	●	×	●	×	●	●
タイ	チュラロンコン大学	●	●	●	●	●	●
	ブラパー大学	●	×	●	×	×	●
	モンクット王工科大学ラカバン校	●	●	×	●	●	●
	タマサート大学	●	●	×	●	●	×
ベトナム	ハノイ工科大学	●	×	×	●	●	●
	ホーチミン市工科大学	●	×	×	×	×	●
	ベトナム国家大学ハノイ校	▲	×	●	×	×	×
	ベトナム国家大学ホーチミン市校	●	×	●	●	●	×

＊1：工学部はないものの理学部を有している大学は▲とした（当時）。＊2：1998年の検討時までに工学分野でJIACが技術協力（連携を含む）を実施していたか否かで判定し、その後の二国間協力の実績は反映していない。＊3：フェーズ3を開始した2013年に7大学を追加しているが、本結果は2000年の選出結果のみ記載。

日本大使館とJICA事務所は各国政府に対してコンタクトした。選定は各国政府が行う、つまり最終決定権は各国政府が持っているが、そこに日本の意図を反映させようという作戦である。

p.178の表はSEED-Netの基本コンセプトの検討を始めた1998年1月と選定基準決定直前の2000年7月に日本側が考えた案、そして各国高等教育所管省庁が選出したメンバー大学の一覧表である。基本コンセプトの検討掘り下げと追加調査、各国政府との協議を経て、日本側の案に変化が見られる。各国政府が公式にメンバー大学を選ぶ際、各国において日本関係者が「日本案2000」に記した案を踏まえて各国政府にコンタクトをしたが、それが奏功した国とそうでない国、そこにAUNメンバー大学であるか否かなどバリエーションが出ていて興味深い。

タイからのメンバー大学選出の顛末

メンバー大学の選出は、スパチャイAUN事務局長から各国高等教育所管省庁に対して依頼がなされたが、日本の外務省からも各国日本大使館、JICA本部から各国事務所に対して側面支援をするよう指示が出された。その指示の中には、メンバー大学候補の日本案も含まれており、これを各国政府に提示しつつ協議し、選出作業を促進せよ、というものであった。

AUN事務局のお膝元であるタイに対しても同様であった。選定基準に書かれた大学の数は、「（原則として）2つ」。JICA本部からタイ事務所に対して伝えられたメンバー大学候補は、チュラロンコン大学とモンクット王工科大学ラカバン校（KMITL）。言うまでもなく、チュラロンコン大学はタイにおいて最高学府であり文句なし。問題はKMITL。KMITLは、40年前に電気通信分野の職業訓練センターとしての設立以来、JICAをはじめ東海大学、郵政省（当時）などが支援をし、タイにおける電気通信分野の有数の大学に成長していた。日本側の感覚ではKMITLがSEED-Netに入らないという選択肢はあり得ない。ただKMITLはAUNメンバーではない。しかもタイにはモンクット王工科大学トンブリ校（KMUTT）やタマサート大学などレベルの高い大学がほかにもいくつかある。そして、AUN事務局が推すブラパー大学はチュラロンコン大学と関係が深く、AUNのメンバーであった。ただブラパー大学がタイの工学分野のトップレベルの大学かと言えば、首をかしげざるを得なかった。

小西は在タイ日本大使館の担当者と共に大学庁の担当部長のところに行き、協議を重ねた。チュラロンコン大学は双方で合意。ブラパー大学は大学庁およびAUN事務局の推薦。KMITLは日本の推薦。決めるのはタイ大学庁。でも日本はSEED-Net事業の最大の支援者であり、これまでタイを拠点にした工学分野の大学ネットワークを立ち上げるために共に汗を流してきた日本の意向を、タイ大学庁としては無視できない。

議論を重ねた結果、結局、「『原則として2校』はあくまでも『原則』であり、タイだけが3校を選出しても日本側はクレームをつけない」との裏取引が成立し、両者痛み分け、いや両者勝利の結論となった。

ちなみにタイには、当時から工学分野で国際レベルの高等教育を提供するアジア工科大学（AIT）が存在していたが、タイ大学庁の見解では、AITは国際機関でありタイの大学ではないのでSEED-Netのメンバーとしては検討対象外とのことであった。

インドネシアのメンバー大学選出裏事情

「（原則として）2つ」のメンバー大学選出基準に対し、タイは3大学を選出した。しかしながら、タイとしては自分の国だけ3つの大学を選出するのは面子として具合が悪い。特にSEED-Net事務局をタイに設置し、事務局長もタイ人が就任する見通しであるところ、利益誘導、我田引水のそしりを受けかねない。このためタイの大学庁担当部長は、タイのメンバー大学選出協議の中で小西に対して、「インドネシアはどうだろう」と軽くジャブを打ってきた。確かにインドネシアはタイよりも国土も大きく人口も多く、大学の数も多い。メンバー大学の数はJICAインドネシア事務所も気にかけていた。特にJICAの工学系高等教育分野の「高等教育開発計画（HEDS）プロジェクト」を通じて国内いくつかの大学との協力関係を構築済みである。このため小西は「タイは3大学選出する見通し」とインドネシア事務所にささやき、インドネシアからも3つの大学が選ばれるように唆した。

実はJICA本部は腹案として、インドネシア政府がAUNメンバーであるガジャマダ大学とインドネシア大学を選ぼうとした場合、日本側意中のバンドン工科大学は、JICAがHEDSプロジェクトを実施中であり、「過去に日本の協力を得たことのある大学も推奨され得る」という基準を準用して、合計3校の選定を受け入れる用意があり、必要に応じてインドネシア政府と交渉するようJICAインドネシア事務所に伝えていた。

が、蓋を開けてみれば思惑が外れた。日本側の意に反しインドネシアからはバンドン工科大学とガジャマダ大学の2大学の選出に留まった。後に高等教育総局長にその理由を聞くと、「原則として2大学」だったので、「原則」を守り、工学分野でトップのバンドン工科大学と、地方のトップレベルの総合大学としてガジャマダ大学を選んだとの単純な回答だった。結果、SEED-Net設立時点において、アセアン10カ国の中でタイのみ3メンバー大学という結果になった…。

私立大学もメンバー大学に

メンバー大学の中で唯一の私立大学が、フィリピンから選出されたデ・ラサール大学である。フィリピンの高等教育開発委員会の委員長は、SEED-NetがAUNのサブネットワークとして位置付けられ、各国で工学分野のトップレベル大学を原則2校選ぶというコンセプト・ペーパーが日本から提示された1999年6月の時点で、すでにフィリピンからのメンバー大学はデ・ラサール大学とフィリピン大学ディリマン校が適当であるとの考えを示していた。実際、2000年10月にメンバー大学選定依頼が出されると、そのとおりの回答がなされた。

が、日本側で一瞬の躊躇があった。SEED-Netは日本のODA事業であり、日本政府と相手国政府との合意に基づいて実施する事業。当時のJICA側の先入観として、JICA事業の協力の対象組織は、相手国の公的機関（国公立大学）というのが「一般常識」であった。ところがフィリピン政府からは私立大学のデ・ラサール大学がノミネートされた。これをどう考えるべきか。日本側関係者は戸惑い、議論を交わした。

デ・ラサール大学が私立大学であってもフィリピン政府が公式に選出したものである。日本側で協議をした結果、フィリピン政府が自ら選出した大学のSEED-Netでの活動を指導・支援することが約束されれば、選定基準に基づいてどの大学をメンバーにするかという一義的判断はフィリピン政府に委ね、JICA側はその内容（大学のレベルや擁する学部・学科体制など）に問題がなければ異論を挟まないということで、これを受け入ることにした。

ただし、後のオペレーション段階になり、私立大学ゆえに授業料が高く、他のメンバー大学からの留学生受け入れ事業においてSEED-Netの事業予算を圧迫する場面もあったのだが…。

旧宗主国の教員が大学の経営を握っていたメンバー大学

場所はカンボジア工科大学の学長会議室。SEED-Netにおけるカンボジア工科大学の行動計画に関する協議が始まろうとしていた。会議室のドアが開いて入ってきたのは白人の男性２人。少し遅れること、数名のクメール人が入ってきた。「さあ、協議開始だ」と言っても会議用テーブルの正面に座っているは白人の男性。「はて、ここはカンボジア工科大学だよな」。小西は不思議に思った。

自己紹介が始まった。なんと正面に座っている白人男性はフランス人で、しかもカンボジア工科大学の学長であった。カンボジア工科大学なので、クメール人の人たちと協議をするとの先入観があった。

SEED-Netを開始した当初、カンボジア工科大学は大学運営につきフランスから多くの支援を受けていた。カンボジア政府がフランス語圏の高等教育・研究機関の世界的なネットワークを推進する団体「AUPELF-UREF」と契約し、大学の運営をこの団体に委託していた。植民地時代の統治機構の影響、そしてカンボジア政府の予算不足と人材不足の一例といえよう。

教育という自国社会の発展を担う人材を育成する事業を、自らの手で行うための努力は大変重要。隣に座っていたカンボジア人の女性は副学長。その後、カンボジア人教員たちの努力もあり、カンボジア人副学長が学長に。さらに彼女は、その後、カンボジア政府の高等教育所管省庁の長官を経て、現在は文化・芸術省の大臣に就いている。彼女の後任のカンボジア人学長が、本篇第3章で紹介した前学長のロムニー氏である。

ちなみに同時期に同じ目的で訪問したブルネイ大学との協議には、イギリス人の学部長が出席した。大学の行動計画案に記述された、SEED-Netの活動を通じて達成を目指す目標の一部に、メンバー大学の教員における自国籍教員の比率を引き上げることが明記されていた。これは決して他国籍の教員を排除するというのではなく、自国籍教員の能力向上を図る一例として書かれたと理解した。教育の「内製化」への取り組みでもあった。

昨今、大学の世界ランキングの指標にも見られるように、教育・研究における国際化が重視される動きがある。その一方で、おそらく別の観点として「自国の社会の発展を担う人材の教育を自らの手で」という理念も存在すると思う。民族自決の理念とも通じるものとして。

アセアン国籍に限定しない支援対象

昨今、世界が注目する大学の世界ランキング。その評価項目の1つに教員の国際化がある。各大学の教員構成における外国籍教員の比率を調べるものである。今や高等教育、そして一流の高等教育の証左の1つに外国籍の教員が何人いるか、ということになる。国際化と教育・研究のレベルの関係を混同しているという指摘もあるかも知れないが、国際的交流と国際レベルの競争により質の高い研究と教育が行い得るという考えだ。しかしながらSEED-Netをはじめた当初、シンガポールを除く多くの国のメンバー大学では自国籍の教員を採用するのが基本であった。一部例外を除き、メンバー大学は各国の国立大学。公務員ともいえる。

そうしたなか一部の国では自国籍ではない者が教員として働いていた。シンガポールのように国策として外国人材を積極的に受け入れていた国は別にして、おそらく旧宗主国との間での就労や移住・居住、国籍などに関する取り決めがあり、また自国籍人材の不足により他国籍でも優秀な人材を教員として雇用していたのかも知れない。

問題はSEED-Netの予算、すなわちJICAの予算で実施する教育・研究支援のプログラムにおいて、こうしたアセアン以外の国籍の教員を支援するかどうかである。実際、ブルネイ工科大学のパキスタン系イギリス人教員から研究支援プログラムへの申請書が提出されていた。想定していなかった。

パキスタン系イギリス人のブルネイ工科大学教員の研究活動を視察する小西

日本側で議論を重ねた結果、SEED-Netに参画して便益を受ける者はメンバー大学が推薦した者であり、メンバー大学はSEED-Netを自大学、そしてネットワーク全体の発展を目的とした活動に参画する（SEED-Netから支援を受ける）ことに相応しい人材として当該者を推薦しているという理屈に立ち、これを許容することにした。

GNIだけでは測れないブルネイの高等教育予算の現状

SEED-Netは日本の首相が日ASEAN首脳会議の場で協力を表明したイニシアティブをベースにした事業であり、「アセアン」という枠組みでの事業実施が大前提である。様々な活動においてシンガポールとブルネイが参加するのは必須であった。

他方で、SEED-Netが日本の政府開発援助（ODA）予算で実施するからには、その受益国はODA対象の開発途上国でなければならない。しかしながらシンガポールとブルネイは、国民総所得（GNI）の金額に基づき、1998年にODA対象国から卒業していた。

ある時、小西がブルネイを訪問した際、教育省関係者にこの問題を説明したところ、「GNIの値だけで決めないでくれ。GDPは大きいかも知れないが、国家予算の配分の問題があるのだ。高等教育のための予算は必ずしも十分ではないのだ」と反論された。個別の国の国家予算配分まで承知していないし、ODA供与判断の仕組みとして、そこまで細かく配慮されていない。国家の予算をどう配分するかは、まさに主権国家の責任である。

両国をどう巻き込むか日本側は頭を捻った。なかなか妙案が浮かばない。

が、結論が出た。協議を重ねた結果、個別のプログラムの事業ではなく、全アセアン・メンバー国を対象にした会議やセミナーなどは事業運営に係る活動であり、それはプロジェクト全体に資するものであるため、こうした活動に必要な予算は、ブルネイとシンガポールに対してもJICAからの予算で支援することにした。

なお、SEED-Netはオーナーシップを重要視する事業。メンバー大学側からの予算的貢献も大歓迎。シンガポールのメンバー大学からは、学位取得支援プログラムにおいて他のメンバー大学から受け入れる留学生の授業料などをシンガポール側で負担する旨の意思も表明された。その後、他のメンバー大学からも受け入れる留学生の授業料免除や、留学生を送り出すメンバー大学による留学生の旅費の負担など、SEED-Net事務局からの度重なるプッシュもあり、次々とコストシェアが進むことになった。

時代は下って2019年5月に日本政府とアセアンとの間で技術協力協定が締結された。これまでは、シンガポールとブルネイは日本のODA対象国から卒業しているためJICAからの支援を直接的に受けることができなかったが、締結された日本とアセアンとの技術協力協定により、アセアン10カ国を1つの「開発途上地域」と捉え、アセアンという地域枠組みとして参画するODA事業においては、シンガポールとブルネイもJICA事業の恩恵に浴することが可能になった。

軍事政権下のミャンマーでは海外出張は閣議決定が必要だった

2001年4月の設立式典に先立ち、前年11月にバンコクで、アセアン10か国の高等教育所管省庁から選出されたばかりのメンバー大学の代表と、日本政府およびJICAの代表が集まり、SEED-Net設立準備のための国際会議を開催した。SEED-Netの基本コンセプトの確認と翌年4月の閣僚級による設立式典開催の計画、そして設立記念支援プログラムの基本コンセプトの説明が行われた。しかしながらその席にミャンマーからの出席者がいない。全アセアン10カ国と日本との共同事業を推進する小西の立場としては焦った。やむを得ず、会議終了後、すぐさまヤンゴンに飛び、準備会合の協議結果の概要を説明してミャンマーが活動のスタートダッシュにつまずかないよう配慮した。

その後、2001年3月にはバンコクで暫定運営委員会を開催した。4月の設立式典直後に開催する第1回運営委員会に先立って運営委員会の運営方法やSEED-Netの基本合意文書案の最終確認を行ったのだが、そこにもミャンマーからの出席者の姿はなかった。今度も小西はフォローのためヤンゴンに飛んだ。

なんでこうもミャンマーは手がかかるのだろうか、といぶかしく思いながら、あるミャンマーのメンバー大学の先生に不満をぶつけてみた。返ってきた答えは意外だった。「会議開催の招待レターに個人名を書かないでくれ」。意味がわからない。通常は逆で、所属組織の許可を得るためなどに、出席者からは「自分の名前を書いた招待レターを出して欲しい」ということはよく言われること。それが「名前を書いてくれるな」とのこと。声を潜めて語ってくれたところでは、当時、ミャンマーは軍政下。外国への出張は閣議承認が必要で、誰を派遣するかはミャンマー政府が決める。国外での会議への外国組織からの招待レターに個人名が書かれていると、政権転覆を支援する外国勢力とつながっているとか、海外逃亡する機会をうかがっているとの疑いをかけられるので避けて欲しいとのこと。招待レターに個人名が書かれていると対応できず困るとのことだった。

国情が変われば、一見「常識」と思う行動にも配慮しなければならない。多国間で事業を実施する中で得られる経験である。

プロジェクト本格実施・発展期　2003-2022年

1. 試行錯誤のなかでネットワークの基盤形成

技術協力プロジェクト、ついに始動！

基本構想期・基盤形成期を経て2003年3月11日に技術協力プロジェクトが5年間の期間でついに始動することになる。この時点では5年後以降のことは決まっていなかったので単にSEED-Netプロジェクトという名前であったが、のちにフェーズが重ねられていく中で、この時期の協力はフェーズ1協力と呼ばれることになる。フェーズ1は以下の目標と成果を設定したうえで船出をした。

◇プロジェクト目標（プロジェクト終了時に達成すべき目標）

　参加大学の教育と研究能力が参加大学間の活発な交流と国内支援大学との協働関係を通じて向上する。

◇上位目標（プロジェクト終了３年後に達成すべき目標）

　産業界を活性化させる工学系の人材を育成し、アセアン各国の長期的な持続的発展を確保する。

◇成果（プロジェクト目標の達成のために産出すべき成果）

1. メンバー大学の教員の質が高位学位（修士・博士号）取得を通じて改善される。
2. アセアン域内の分野別学位取得プログラムのホスト大学の大学院プログラムが向上する。
3. メンバー大学間の協働活動と人的つながりが強化される。
4. 情報配信システム、活動管理体制、コミュニケーション・ネットワークが確立する。

プロジェクトの基幹となる活動が機能し始める

　プロジェクト開始当初には関係者の中に様々な不安があった。そのなかでも最も心配されたのは、プロジェクトの基幹プログラムであるアセアン域内の他のメンバー大学に留学して修士号・博士号を取得する学位取得支援プログラムに果たして十分な応募者が集まり、優れた留学生を人選できるかであった。2003年度の募集までは厳しい状況が続いていたが、プロジェクト開始２年目の2004年度には、当初想定規模の留学生派遣が実現されることとなり、この心配は杞憂に終わる。基盤形成期に喧々諤々の議論を経て策定されたプロジェクトの戦略とそれを実現する仕組みが実際に機能することが証明されたのである。

その後も順調にプロジェクトは進展し、フェーズ1終了の約1年前にあたる2007年5月にJICA本部によって実施された終了時評価では、主に3つの成果の達成が確認された。第1の成果は、学位取得プログラムを通じた教員の育成である。この時点で修士号132人、博士号8人の卒業生がすでに輩出され、引き続き修学中の学生も多いが、最終的には、フェーズ1を通して修士号311人、博士号133人、計延べ444人の卒業生を輩出。目標としていた育成人数が達成されること、また、卒業し帰国した後に母校に定着する割合も95%以上と高いことが確認された。

強くなるホスト大学

2つ目の成果は、ホスト大学の大学院プログラムの質の改善である。評価調査において、すべてのホスト大学が、自大学の大学院プログラムの研究・教育面の両方の質が改善したと自己評価している。また、改善の具体的例として、大学院プログラムの国際化・英語化、教授方法の改善、研究活動の質的・量的向上（研究数・論文数の増加）、国際的な大学ランキングでの順位の上昇、などを挙げている。さらに、国内支援大学教員へのアンケートにおいても、回答した国内支援大学教員の9割がホスト大学の大学院プログラムがプロジェクトの開始前と比較して向上したと感じていることが確認された。

研究者間で醸成される信頼関係

終了時評価で確認された3つ目の成果は、メンバー大学間のネットワークの形成・強化であった。プロジェクトの開始前はアセアン内の大学間の連携は皆無に近かったが、域内での留学、域内の大学間の国際共同研究（168テーマ）、分野別セミナー（76回、参加者数延べ1,206人）、本邦大学教員のアセアン各国への派遣（295人）などの域内メンバー大学間での交流に基づくプログラムにより、人的・組織的ネットワークが新たに形成・強化されることになった。日本の国内支援大学とのつながりも、共同研究、教員派遣、本邦留学・研修などによって強化されていた。

このように強化されたネットワークは、地域共通課題への解決に資する国際的な協働を生み出し、共同研究活動を生み出していく。具体例は、2004年12月に発生したスマトラ島沖地震に伴う津波災害や、2006年5月に発生したインドネシア・ジャワ島中部地震への対応である。津波災害発生の直後にSEED-Net は津波災害に関するワークショップを開催した。また、インドネシア・ジャワ島中部地震の後は、国際シンポジウムと分野別セミナーを開催し、対応策を議論した。ジャワ島中部地震に関しては地質の観点から論文をまとめ、英国で開催された学会で論文賞を受賞する。これらは、分野を横断する学際的な分野への対応の必要性を認識するきっかけとなり、SEED-Netは学際分野への取り組みをこの後フェーズ2以降強化し、さらにその存在意義を高めていくことになる。

同時に、終了時評価調査団はその報告の中で次のようなことも述べている。「本プロジェクトにおいては、全関係国が協働するための人的・組織的連携関係の確立が基本にある。したがって、本プロジェクトが目指すところは、地域の社会・経済発展に寄与する工学系人材の共同育成と域内共通課題の解決のための共同活動を行っていくための“共通の場”を形成する活動と考えることができる。その意味で本プロジェクトは技術移転プロジェクトから端を発するものの、発展的にはこのような共通の場を作り上げ、維持していくスキームを確立させる、地域公共財形成プロジェクトとなる性格をもっている。そして究極的にはできあがった地域公共財あるいは共通資産は、国際機関や地域機関のように、永続させていくことが原則となるであろう」。

SEED-Netの可能性を信じたリーダー

この時期のSEED-Netを牽引した立役者として堤和男教授に触れない

わけにはいかない。堤教授は豊橋科学技術大学で化学工学を専門に研究を行ってきた当該分野で日本を代表する研究者の1人であり、SEED-Net設立当時は国際担当の副学長として同大学の国際化を牽引していた。SEED-Netの立ち上げに際し、国内支援大学として豊橋技術科学大学の参加が決まると、その代表者として堤教授は国内支援委員会のメンバーに名前を連ねる。

その後、バンコクに所在するSEED-Net事務局で学術的な観点からのアドバイザーが必要となると堤教授に白羽の矢が立ち、年に数度、タイの事務局に出張しアカデミックアドバイザーとしての活動を開始。その後、初代のチーフアドバイザーの後任者には堤教授しかいないとなり、2代目のチーフアドバイザーに就任する。かつて大学院を卒業し就職を考えた際には、研究者になるか国際機関に就職するかを迷ったほどという堤教授は、国際的な活動への関心と経験が豊富で、その専門性の高さ、語学力、大学執行部としての工学教育に対する高い見識をもって、日本とアセアン側双方の研究者から多大な尊敬と信頼を集めていた。また、これまでもインドネシアやタイにおけるJICAの工学系大学支援プロジェクトの活動にも参加しており、SEED-Netの構想検討にも比較的早い段階から、国内支援委員会の委員長に就いていた西野教授と共に参画していた。

SEED-Netのメンバー大学は、日本を含め11の国にまたがる30の大学（発足当初）、また、そのなかには個性の強い大学教員も少なくない。これらの関係者を束ね、意思統一を図って活動を進めるのは容易なことではない。しかし、堤教授の言うことであれば聞こう、という研究者は多かった。それが、SEED-Netの基盤形成期と本格実施期の活動を円滑に進めるための推進力になったことは間違いない。

堤教授はフェーズ1の成果を取りまとめた記録を作成するなかで、次のように述べている。「日本以外の先進援助国の人材育成にかかわる学位取得プログラムは、学生をすべて自国に招いた教育（インドネシアHEDSプロジェクトにおけるUSAID方式）、あるいはアセアン域内に分校を設置した教育（オーストラリアのモナシュ大学マレーシア分校など）という方法であり、自国の教育産業推進の一貫としてアセアンを「市場」と捉えている一面もあった。

これに対してSEED-Netの手法は、あくまでもアセアン側の大学を主体者と位置付け、アセアン域内での人材育成、大学の充実および人的ネットワーク形成を一体化して、当該大学のオーナーシップを保ちながらの支援であった。この方式は支援対象国政府・大学から高く評価され、たとえプロジェクトが終了しても国際競争力のある大学院と日本－アセアンネットワークが存続するはずであり、プロジェクト成果の持続性は高いものと断言できる」と期待された。SEED-Netはアセアンと日本の絆を構築する大事なプロジェクトであるという堤教授の強い信念がプロジェクトを大きく前に進めた。

2. 地域共通課題に対応するネットワークとしての挑戦

プロジェクトの継続を望む声

少し時計の針を戻す。2006年にはSEED-Netプロジェクト開始後3年が経ち、プロジェクトは折り返し地点に入るが、その頃から、プロジェクト終了に向け、アセアン側・日本側双方の関係者から所定の事業期間終了後もプロジェクトを継続すべきだという声が多数上がるようになり、2006年夏にフェーズ2の検討が開始される。しかし、SEED-NetはJICAの技術協力の歴史の中でも類を見ない大規模事業、かつ、アセアン10カ国を相手にした広域案件。フェーズ2立ち上げの道のりは長く困難なものであった。

フェーズ2検討のキックオフは、2006年8月3日に、東京・新宿マインズタワーにあったJICA本部の会議室で行われた。通常、後続案件を含め新規に技術協力プロジェクトを立ち上げる際の検討は2つの課が中心になって行われる。当該の技術協力プロジェクトの実施監理を担当する課と、当該プロジェクトが位置する国に対する全体協力方針や予算配分を司る国担当課である。しかし、SEED-Netはアセアンの10カ国を相手にしているので、国担当課が1つではなく、当時4つもあった（1つの課で複数の国を担当していたため4つの課が担当していた）。

SEED-Netの担当課としては、SEED-Netは、立ち上げ当初の苦労を乗り越え、本格実施フェーズに入った後着実に成果を挙げてきているという自負があった。しかし、国担当の各課の代表者からは異なる意見が噴出する。「広域案件にもかかわらず、SEED-Net事務局のあるタイのプロジェクトとして扱われてきたため、他の対象国のJICA事務所関係者の認知度は低い」、「相手国の開発協力事業を取りまとめる省庁や高等教育を所掌する省庁の関係者は、SEED-Netのことを知らないのではないか」、「単なる大学の教員同士の教育・研究活動に過ぎず、JICAが行うべき途上国の能力を高める開発協力事業として認知されていないのではないか」といった厳しい指摘が相次ぐ。そもそも各国のJICA国別事業実施計画にも位置付けられていないことも明らかになる。JICA国別事業実施計画とは、当該対象国に対してJICAが相手国と協議のうえ設定する重点課題ごとに、現在どういうプロジェクトを行っていて、今後5年程度の期間でどういうプロジェクトを行っていくかを一覧にした計画書である。それぞれのプロジェクトはここに記載され位置付けられないと、JICA関係者はおろか相手国側にもしっかりとJICA事業として認知されない。SEED-Netはタイの国別事業実施計画には記載されていたが、その他のアセアンの国々のものには記載されていなかったのである。

他方、国担当各課のメンバーは東南アジア地域のことを知り尽くしたメンバーの集まりである。東南アジア地域の高等教育セクターが抱える課題の解決に貢献し、また、アセアン統合にも資するSEED-Netの意義は十分にわかっていた。そこで議論の結果、まずはすべての対象国の国別事業実施計画にしっかりとSEED-Netを位置付け、また、相手国・日本側での認知度を高め、各国から外交ルートを通じて日本・JICAからの協力に対する

SEED-Netフェーズ2に感ある要請書を正式に取りつけること、また、アセアンが進める地域統合の目玉プロジェクトの1つとして浮上させられないか、という話になった。

このためにもすべてのJICA事務所としっかりと話し合いをしようということになり、9月から11月にかけて各国事務所とのテレビ会議が開催される。一度にすべての事務所が集まれないので3回に分けて行われたが、会議を通じてSEED-Netの意義についての認識が、JICA内の関係部署・事務所間で醸成されていくことになった。

ジャーナリストが見るSEED-Net

並行して、SEED-Net担当課は、今後日本政府や相手国にフェーズ2にかかる本格的な協議を申し込んでいくことについて役員の了解を得るべく担当理事に説明を行った。2006年8月10日のことである。担当理事の反応は冷静であった。「SEED-Netは確かにとてもよいプロジェクトであるが、内輪の関係者だけで良い事業をしていると自負しているだけでは不十分。例えばジャーナリストなど、大学以外の関係者からも意見を聞きながら、多くの関係者に支持されないと事業の継続は難しいだろう」という指示が担当課に下される。

これを受け、国際開発分野で唯一の専門誌『国際開発ジャーナル』を発刊する国際開発ジャーナル社の社長兼主幹であった荒木光弥氏（当時）にSEED-Netへの取材の可否を打診し、二つ返事で快諾を得る。JICAにとって、荒木氏に限らず、ジャーナリストによるプロジェクトの取材は時に諸刃の剣となる。ジャーナリストの目から見てよい事業と評価されれば、時にそれは好意的な記事となり世に名が知られることになる。他方、ジャーナリストが、プロジェクトの意義に疑問を持ったり、問題を発見する結果となったら、記事を通じて世に悪名が広がることになる。しかし、当時のJICA本部関係者は、荒木氏に現地で関係者に直接取材をしてもらえればSEED-

Netの意義はきっとわかってもらえるのではないか、また、仮にずれている点があると指摘されるのであれば、むしろそれを奇貨としてプロジェクトを改善していけば良いと腹をくくった。

かくして2006年10月5日からの1週間、荒木氏のタイとインドネシアへの取材出張が実現する。その結果はJICA関係者の予想を超えたものであった。荒木氏は、タイのSEED-Net事務局においてタイ人の事務局長に、また、インドネシアでは国民教育省高等教育総局長に面談したほか、チュラロンコン大学とガジャマダ大学の執行部、教員、SEED-Net留学生から丁寧に聞き取りを行った。そして帰国後、その結果を、国際開発ジャーナル社が発刊する『国際開発ジャーナル』の2006年9月号、2006年10月号、2007年1月号の3回にわたり、記事化し議論したのである。なかでも2006年10月号では、各号の冒頭で荒木氏がその時々の最も重要と考えるテーマを取り上げて議論をする「森羅万象」のコーナーにおいて、見開き2ページまるまるを割いてSEED-Netに対する考察を行っている。そこでは、(1) アセアン域内の格差の是正への貢献、(2) 垂直的な国際分業方式から水平的国際分業への移行について論じたうえで、「ODAは二国間外交の手段だけでなくエリアをカバーする広域外交としての地域戦略に着眼しなければならない」と新しいアセアン外交の構築の必要性を述べ、SEED-Netがその一翼を担い得ることを示唆している。「森羅万象」のコーナーでJICAの特定のプロジェクトが取り上げられることは極めてまれであり、かつ、その中でSEED-Netの意義をジャーナリストの視点から再構築し議論してもらえたことは、SEED-Net関係者に対して多くの気づきを与えるものであった。また、日本国内にSEED-Netの名前が広く知られる最初の機会となり、これがSEED-Netフェーズ2立ち上げの大きな追い風となった。

怒涛の準備プロセス

2006年度に開始されたフェーズ2の準備は、2007年度に入りいよいよ本格化する。フェーズ1最終年度であり、2008年3月の終了後に切れ目なくフェーズ2を立ち上げるためには、計画されている準備のステップを1つも漏らさずに計画どおりに実施していかないといけない。具体的には、2007年5月にフェーズ1の終了時評価を行うのと同時にフェーズ2の詳細な事業計画を策定するための調査を行う必要があった。その上で、6月に国内支援委員会を開き国内関係者とのコンセンサスを作り、8月にはメンバー国・大学の代表者がタイに集って行う運営委員会を開催し、10月にはJICAの理事会での審議、新たな「協力枠組文書(Cooperative Framework)」の署名、さらには、各国政府とJICAとの間でのJICA技術協力プロジェクトの基本合意文書の署名などの検討・準備が隙間なく予定されていた。梅宮やプロジェクトチームのメンバーとJICA本部のメンバーは、緊張感のなかでこれらのステップを1つずつ踏んでいく。

荒木氏によるSEED-Netの記事化という追い風もあり、日本側では立ち上げの過程において、フェーズ2の意義そのものについて疑義を挟む関係者は少なかった。しかし、問題はその予算規模の大きさである。特に外務省からは、メンバー国政府・大学からのコストシェアや外部リソースの獲得を一層促進する必要があるとの方針が示され、8月10日に開催されたSEED-Net運営委員会でも同方針が日本政府から説明され、メンバー大学側に予算の観点からのさらなる自助努力が求められた。

そして、JICAとして組織決定する2007年10月27日の理事会での審議は関係者にとって最後の大きな関門であったが、理事会において、無事、フェーズ2の実施について正式な承認を得た。その際、副理事長は「大規模で、美しく、かつ非常にイノベーティブな事業」と評しつつ、「裨益者の裾野の広さ、協力に伴うストーリーなど対外発信・PRをさらに積極的に行うべき。また、来年にハイレベルの関係者を日本に招へいしてシンポジウムを開催することも一案」との指摘・提案があった。この提案を受け、2008年にアセアン関係者が東京に勢ぞろいし、東京でSEED-Netをテーマにしたシンポジウムを開催することとなる。

また、SEED-Net事務局では、それまでの英文のホームページに加え、和文のホームページも開設した。梅宮はそれまで「現場で良い活動を行っていればそれで十分だ」と考えていたところがあったが、フェーズ2立ち上げのプロセスを経験し「特にSEED-Netのような大きな事業を実施していくためには、それだけでは不十分で、国内外の関係者にその意義や成果を発信・説明し、また、批判・助言を受けながら改善していくことが必要なんだ…」と痛感する機会となった。

また、同じ理事会においてアフリカ支援に強い関心を持つ緒方理事長からは、「アフリカでも高等教育の重要性に係る認識が高まっている。アフリカへの応用は長い時間がかかるかもしれないが、SEED-Netをモデルとして、今後、アフリカ社会の発展に貢献する高等教育分野の事業実施の可能性につき留意していくべし」との指摘がなされている。実際、その後、アフリカ地域における高等教育の必要性に対する認識は高まり、2008年にはSEED-Netと同様に、域内の5つの拠点トップ大学をバーチャルにつないだ「汎アフリカ大学構想（PAU）」がアフリカ連合によって打ち出され、JICAは2014年からケニアのジョモ・ケニヤッタ農工大学に設立されたPAUの科学技術分野の拠点を支援することになる。さらには、2018年以降、このPAUとSEED-NetはJICAを媒介にして大陸を超えた形で学術交流を開始している。緒方理事長のこのときの発言は、将来のこういった出来事を予言していたかのようで興味深い。

第二ステージに突入！

怒涛の準備段階を経て、ついに2008年3月11日にSEED-Netは次のような目標を掲げた第二フェーズへと突入する。

◇プロジェクト目標

アセアン地域において、地域の社会・経済開発に資する工学系人材を持続的に育成するための体制の基盤が整備される。

◇上位目標

アセアン地域の社会・経済発展に必要とされる工学系人材が持続的に輩出される。

◇成果

1. メンバー大学の教育・研究能力がさらに向上する。
2. メンバー大学を中心に、産業、地域社会、既存の学術ネットワークおよび非メンバー大学を包含する域内学会が確立する。
3. アセアン地域の産業・地域社会の共通課題に対する解決方法の発見に寄与する共同研究活動が推進される。
4. フェーズ1において設立されたアセアン域内のメンバー大学間および国内支援大学とのネットワークおよびそのシステムが拡充され、各分野における共同大学院プログラム・コンソーシアムとして機能する。

フェーズ2開始の直前の2008年2月15日にJICA本部で開催された第10回国内支援委員会において、委員長は、フェーズ2について「世界的に科学技術外交が大きな流れであり、SEED-Netは大きな役目を果たすだろう」とその展望を述べている。また、JICAの担当理事は「SEED-Netが地域公共財となるように支援を行っていく」としたうえで、「日本で本プロジェクトを知る人が少ないのが現状だが、PRを行い、支持者を増やすために、第15回運営委員会を日本で開催する」と宣言をする。

運営委員会はSEED-Net事務局が所在するバンコクか、その年の運営委員会の議長が所属するアセアン域内のメンバー大学で開催することになっていたが、この宣言を受け、SEED-Netの歴史の中で初めて日本で運営委員会が開催された。JICA本部における第15回目の運営委員会の開催である。また、その際には、SEED-Netのメンバー大学の代表者だけでなく、各国の教育省の責任者も一堂に会する機会となった。

あわせて、市ヶ谷にあるJICAの研究所の国際会議場において「日・ASEAN大学間パートナーシップと科学技術 ～ 経済社会開発と地球規模課題の解決に貢献する知的公共財～」と題したシンポジウムを開催す

東京で開催された第15回運営委員会に参加した日本とアセアンの代表者たち

JICA研究所で開催された公開シンポジウム

る。大学評価・学位授与機構の機構長による「高等教育機関の国際的ネットワーク構築に関する日本の貢献」と題した基調講演に続くパネル・ディスカッションでは、外務省交際協力局参事官、文部科学省高等局長、アセアン大学ネットワーク（AUN）事務局長、産業界を代表し富士通人事部からの登壇者を交え、日本とアセアンの大学間パートナーシップの推進と経済・外交・学術面での活用可能性について活発な議論が行われた。このシンポジウムは一般に公開され、直接SEED-Netに関りを持っていない多くの人たちにSEED-Netを知ってもらう貴重な機会となった。

フェーズ2の目標は既述のとおりである。フェーズ2の準備過程における関係者の議論のなかで、ネットワークのさらなる強化と、構築されたネットワークをベースに、防災、環境などの地域共通課題に対応する、より大規模な共同研究を通じ地域の課題解決に貢献していく必要性が確認された。そこで、それまでプロジェクトの基幹を成していた学位取得プログラムなどに加え、共通課題対応のための共同研究プログラムが組み込まれた。これがプロジェクト枠組みにおける「アセアン地域の産業・地域社会の共通課題に対する解決方法の発見に寄与する共同研究活動が推進される」という3つ目の成果として設定されたものである。2004年12月に発生したスマトラ島沖地震に伴う津波災害や、2006年5月に発生したインドネシア・ジャワ島中部地震への対応において、SEED-Netが地域共通課題に対応する能力・可能性を示したことがこの成果の設定にいたる1つのきっかけになっている。

SEED-Net存続の危機

フェーズ2の5年間の協力期間を折り返した2011年頃には、フェーズ2終了に向け、アセアン側・日本側双方の関係者からさらなる継続要請が出てくる。しかしながら、これだけ大きなプロジェクトを10年間行ったうえ、さらに協力を延長することについては当然ながら様々な意見が飛び交う。

当時のJICA緒方理事長に延長の可能性を担当部署からした時の最

初の反応は、すでに本篇でも紹介したとおり、「いつまでやるの?」であった。フェーズ2の実施検討の理事会において承認してくれた理事長も、さすがにフェーズ3の実施となると厳しかった。

当然の質問であり、このまま単純に延長とはいかない。まずはこれまでの10年間の活動を総括し、その上で現在、SEED-Netの事業範囲である東南アジア地域の現状と日本の現状を正確に分析把握し、SEED-Netが今後どうあるべきかをしっかりと議論する必要があった。そのためJICAの担当部署は、国内の有識者からなる委員会「SEED-Net有識者委員会」を立ち上げる。委員長は、東京工業大学学長や学位授与機構理事長などを歴任した文部科学省の顧問。その他のメンバーには、慶應義塾大学の元塾長、政策研究大学院大学学長や准教授の角南篤氏（現・公益財団法人笹川平和財団理事長）など。国際開発ジャーナル社の主幹であった既述の荒木氏にも参画を依頼した。著名な研究者・ジャーナリストが名前を連ねた。その他、JICAからは元役員でもあったシニア課題アドバイザーの末森満氏（現・国際開発ジャーナル社社長）、SEED-Netからはチーフアドバイザーの堤教授、そしてSEED-Net国内支援委員会の委員長でもある三木教授（現・東京都市大学学長）といったそうそうたる顔ぶれであった。

有識者委員会は、タイへの現地調査も行い、委員会での議論を重ね、最終的にその結果を「SEED-Net次期事業にかかる提言」としてまとめる。そのなかで、SEED-Netのこれまでの実績をとりまとめて評価するとともに、2001年からの約10年間で変化した当該地域の状況を踏まえ新しい課題を確認している。具体的には、産業の高度化が進む東南アジア地域で、メンバー大学が産業界にさらなる貢献ができるネットワークとすべく、産学連携の拡充を新しい柱として追加した次期フェーズ構想を提案したのである。提言書冒頭にまとめられた提言の要旨は以下のとおりである。

1. SEED-Netは、2001年4月に開催された日本およびアセアン加盟国の閣僚級会合において設立された、アセアン10カ国における工学系のトップレベル19大学と本邦11大学で構成される大学間ネットワークである。その設立以来、域内各国の拠点大学の教育・研究能力の強化と域内研究者のネットワークの形成という点において大きな成果を上げてきた。

2. 過去10年間で東南アジア地域においては、域内経済活動の連結性や産業の高度化が大きく進み、今後10年のうちにさらにこの動きは加速すると予想される。こうした変化に対応するため、日系企業を含む同地域の産業界は、域内の大学によるグローバルな高度産業人材の育成と産学連携による研究活動の充実に大きな期待を寄せている。各国政府も経済の先進国化を達成するためには、産業の高付加価値化や高度産業人材の育成が不可欠であると認識し、これに貢献する高等教育の充実を重要政策に掲げている。また大気環境汚染や気候変動など地域が共通に抱える地球規模課題への対応の重要性も増している。このような変化を受け、アセアン諸国の拠点大学の学術ネットワークであるSEED-Netが、産業界や大学同士の連携を一層強化し、地域産業の高度化や域内共通課題の解決に貢献することが求められている。

3. これまでに形成した大学間・研究者間の学術ネットワークをさらに強化することで、SEED-Netはアジアにおける科学技術振興の新たなプラットフォームを形成する可能性を有している。高度人材が双方向・多方向に循環する、真に互恵性あふれるプラットフォームを形成するためには、メンバー大学の教育・研究レベルが一定の国際水準を満たし、自立的に国内・域外の大学と交流できるようになる必要がある。そのために我が国はアセアン諸国とともに拠点大学の研究・教育能力のさらなる底上げと学術ネットワークの強化に一層努力すべきである。

4. 上記を踏まえ、本委員会はJICAに対して、2013年以降、次を事業目的とした新たなSEED-Netを実施していくことを提言する。なお、こうした活動は、アセアン諸国のためだけでなく、我が国の産業界や大学のグローバル化や活性化にも貢献するものである。

(1) 域内産業高度化への貢献

(2) アジア地域における地球規模課題への対応

(3) アジア地域における科学技術振興のプラットフォームの形成のための拠点大学と学術ネットワークの強化

アセアンによるアセアンのための人材育成の仕組みの整備

また、有識者委員会は、SEED-Netが過去10年間の活動を通じて、各国に拠点工学部を育成し、大学教員間の人的ネットワークを形成した結果、アジア地域の科学技術振興のプラットフォームの基盤を形成したとして、その成果を高く評価している。実際、2012年7月15日から26日の間に実施された終了時評価においても、フェーズ2期間中の活動によって、フェーズ1で生み出された成果に、さらに成果が積み増されたことが確認されている。

まず、約10年間のプロジェクト活動の結果、タイ、マレーシア、インドネシア、フィリピンの4カ国の合計8つのホスト大学は、それぞれが所掌する工学分野、合計9つの基幹分野に国際プログラムを確立した。

2008年から2009年にかけて、梅宮と堤教授は、国際的な高等教育の動向に深い知見を有する名古屋大学の米澤准教授(現・東北大学教授)とともに、ホスト大学で進む博士課程の改革とその改革にSEED-Netが果たした役割について確認をしようと、インドネシア、フィリピン、マレーシアの合計5つの大学の工学部長にインタビュー調査を実施する。インドネシアのバンドン工科大学の機械工学部長に対するインタビューで、学部長は次のように説明をした。「バンドン工科大学では2003年から大学全体で博士課程の改革を推進中である。改革により、過去においては学生は無期限に在籍が可能であったところ、5年が限度となり、これにあわせて課程の再設計が行われている。この改革はSEED-Netが直接的なきっかけとなって開始されたものではないが、SEED-Netは自分たちが改革に取り組み始めたまさにそのタイミングで開始されたことで改革を加速し、その質を向上してきている。SEED-Netにより日本・アセアン他国との共同活動が促進され、教員が国際化し、結果として教育の質が向上するとともに、地元学生も留学生により刺激を受けている。さらに日本人教員の助言により特に評価・モニタリングシステムの構築が進められている」と。

また、フィリピン大学ディリマン校の事例も興味深い。同大学での2005/06年における博士号取得平均年数は10.3年であったが、2010/11年には4.33年に、修士号取得平均年数も同様に4.73年から3.18年に短くなっている。過去においては、修士課程・博士課程ともに十分な制度が構築されていなかったが、SEED-Netにおいて域内他国から留学生を受け入れることが制度改革への追い風となった。日本人教員からもアドバイスを受けつつ、それぞれの課程をよりシステマティックに再編成することにより、入学から修了までの年限が短縮され、修士2年、博士3年という国際水準に近づいたのである。これにより、各大学の大学院プログラムはその国際的な通用性と競争力を高めることになり、SEED-Net以外の留学生も積極的に受け入れることになった。

このように、アセアン域内の異なる9つの拠点において、本プロジェクトやホスト国・大学の独自の取り組みを通じて力をつけ、そこにアセアン各国から工学系人材が留学することによって、域内での人材育成や相互移動が進展。9分野をホストする8つのホスト大学を集合体としてみた場合、バーチャルな「アセアン広域工学大学院」と呼べる仕組みが形成されていると考えられる。アセアンによるアセアンのための人材育成の仕組みが整備されたのである。

負けずに力を伸ばす送り出し国の大学たち

以上はホスト大学の発展についてであるが、留学生を送り出す側のメンバー大学も負けていない。複数のメンバー大学で新たな修士、博士コースの創設も進んだ。例えば、タイのブラパー大学はバンコク郊外の小規模な大学で、SEED-Netにおいては送り出し大学として若手教員を他国のホスト大学の修士課程や博士課程に送り出していたが、SEED-Netへの参加を契機に、化学・環境工学と機械工学の修士コースや化学工学の博士コースを新設している。またカンボジア工科大学には2008年以前には大学院自体がなかったが、2009年度から準備を始め、2010年度に初めて土木、電気、化学の3つの修士コース開設にこぎつける。カンボジア工科大学の歴史に刻まれる出来事である。これらの大学はSEED-Netで博士号取得者が同大学に戻り、修士コースの新設に必要な要件（高位学位を保持した一定数の教員がいること）を満たしたことにより、これらの教員が中心となって、大学院コースを新設したのである。

また、送り出し国に帰国した若手教員たちは、自国の他大学への協力にも乗り出す。例えば、ラオス国立大学は、ルアンプラバン、チャンパサック、サバナケットの各地方都市に新たに設立された地方大学に対して教員を派遣し協力を始めるが、そのメンバーの中にはSEED-Netの卒業生が多く含まれた。彼らは、チャンパサック大学やサバナケット大学において講義を行うなど国内の大学を助け、自国内の高等教育の底上げに貢献しているのである。

地域共通課題の解決に資する共同研究への挑戦！

SEEED-Netフェーズ2が重点を置いたのは、地域共通課題の解決に資する共同研究の実施である。この方針に沿って多くの共同研究が実施され、成果を生み出した。例えば、ハノイ工科大学からフィリピン大学ディリマン校の修士課程に留学した教員は帰国後、「ハノイ近郊村における養豚農家のアンモニア（NH3）排出効果の研究」を行った。ベトナムでは農業の発展がめざましく、その中でも畜産業は今後5年間で農業生産の25～30%を占め、国内需要と輸出向けの主要な業種になると期待されていた。しかし、家畜からの廃棄物が地方の環境に影響を及ぼしている。問題の1つはアンモニア（NH3）の排出であり、川や池や地面で富栄養化を引き起こすことであった。本研究「ハノイ近郊村における養豚農家のアンモニア（NH3）排出効果の研究」は、家畜の飼育からの廃棄物をより良く処理する方法を提案し、農村の持続的な発展をサポートした。

また、フィリピン大学ディリマン校の教員とSEED-Net留学生たちは、「リモートセンシングとGISによるコミュニティの地滑り対策」にかかる共同研究を進めた。この研究は地図により地滑りが起きやすい場所を見つけ、対策を行うノウハウを教えるものであったが、この研究により地滑りに対する村人の注意を喚起し、地図づくりへの関心を高めた。また、デ・ラサール大学に留学中の修士学生が取り組んだ残留性有機汚染物質に関する研究では、デ・ラサール大学、ブラパー大学だけでなく、フィリピン政府、ベトナム政府、ベトナムの農薬会社も含めた連携がなされた。この研究で集められたデータは、デ・ラサール大学が行うUNIDO資金によるプロジェクトでも活用されるとともに、将来の汚染地域の洗浄にも活用されることになった。

また、産業界との共同研究も進んだ。防災・バイオエネルギー、都市交通計画、排水処理の環境問題対策など、アセアン地域の共通課題を取り上げたものが数多く実施され、企業や地方自治体などと直接的に連携した取り組みも行われた。フィリピン大学ディリマン校の教員がLand Bankと行った二酸化炭素の排出権取引に関する共同研究もその1つである。この研究は当初、SEED-Netの資金を得て研究の立ち上げを行ったあと、外部の資金でより大規模に発展させた成功事例である。

悲願、国際学術誌の創刊

フェーズ2の間に生まれた成果としてもう1つ特筆すべきは、SEED-Net事務局を事務局とする国際学術誌『ASEAN Engineering Journal』の創刊である。東南アジア地域内の研究者が広く自身の研究成果を投稿し

記念すべき『ASEAN Engineering Journal』創刊号

共有するためのプラットフォームとしての国際学術誌の発刊は、SEED-Net関係者にとっての悲願の1つであった。紆余曲折を経ながら、関係者の尽力によってついにこれが実現することとなる。特に第2代チーフアドバイザーであった堤教授が提唱し、その後を継いだ三木教授により実現された。

運営には、日本の国内支援大学とアセアンのメンバー大学の教員による投稿論文の審査、その審査の補助と編集作業を担うSEED-Net事務局のタイ人スタッフの多大な貢献があった。

同雑誌は、その後、継続的な発刊実績と質の高い論文の掲載を行う雑誌のみが登録されるSCOPUSのIndexにも登録され確かな地位を築き、現在は、マレーシア工科大学に事務局を移し、自立的に運営されている。

3. 地域公共財としての科学技術振興のプラットフォームの構築

日－アセアン間連携事業の代表案件の1つに

有識者委員会の提言を受け、2013年3月11日から第3フェーズを開始。第2代チーフアドバイザーの堤教授は、有識者委員会開催の途中、2011年1月に突如病床に伏し、2013年3月20日に逝去される。堤教授は、構想検討の初期段階からSEED-Net事業に参画し、フェーズ3の実現を渇望する1人であった。ご逝去はフェーズ3の開始を見届けた直後のことであった。その後任のチーフアドバイザーには三木教授が着任した。

また、SEED-Netはこれまでアセアン側19大学、日本側11大学で構成されていたが、より大きなインパクトをもたらすためにメンバー大学を拡充することに。アセアン側各国政府や日本側関係機関との喧々諤々の議論を経て、複数の大学を足し、アセアン側26大学、日本側14大学、合計40大学のネットワークとして再出発。フェーズ3は、有識者委員会の提言を踏まえ、以下の枠組みを設定して新たな船出をした。

◇プロジェクト目標

メンバー大学および本邦支援大学の連携による高度な研究・教育実施体制が整備される。

◇上位目標

東南アジア地域において、産業の高度化とグローバル化、ならびに地域共通課題への取り組みが促進される。

◇成果

1. メンバー大学と産業界、地域社会との連携が強化される。
2. 地域共通課題解決に資する研究活動を実施する体制が整備される。
3. メンバー大学の研究と教育の能力が向上する。
4. メンバー大学および本邦支援大学の組織間および教員間の学術ネットワークが強化される。

これらの目標に向かってフェーズ3においても着実に成果が生み出されていく。2001年の立ち上げからフェーズ3までの協力を経て、SEED-Netは数多くの実績をが積み上げてきていたことから、日ASEAN首脳会議における主要文書でも必ずその成果や進捗が言及されるようになる。

総仕上げとしての最終フェーズへの突入、
科学技術振興のためのプラットフォームの構築へ

着実に成果を挙げながら、2016年頃から、最後の総仕上げとしてのフェーズ4の準備が始まった。SEED-Netの自立発展のための枠組みの検討が進み、分野ごとに、国境を越えた複数の大学が共同教育・研究を実施するためのコンソーシアムを複数立ち上げることを目指すことを決定。これを推進するために以下の枠組みを設定しフェーズ4を立ち上げ、現在に至る。2001年から始まったSEED-Netにおいて育った人材や培われたネットワークを基盤に、日本とアセアンの研究者間で多くの共同教育プロジェクトや共同研究プロジェクトが実施されている。

◇プロジェクト目標

AUN/SEED-Netのメンバー大学間のネットワークが維持・拡大される。

◇上位目標

・AUN/SEED-Netによる広範な組織的・人的ネットワークが形成される。
・ネットワークが東南アジアの産業と地域共通課題の解決に活用される。

◇成果

1. メンバー大学と産業界、地域社会との連携が強化される。
2. メンバー大学間の連携を通して研究活動と教育を行う能力が向上する。
3. 地域共通課題解決に資する共同研究が推進される。

参考文献・資料

藤原興継（2001）「SEED-Netプロジェクトが軌道に乗る迄の顛末記」

梅宮直樹（2009）「アセアンの高等教育の現況と支援の方向性について」

梅宮直樹・堤和男（2007）「知識型社会における広域ネットワーク型高等教育協力の可能性について－ASEAN工学系高等教育ネットワークプロジェクトを事例に－」『国際協力研究』，第23巻第1号（通巻45号），pp.41-54，国際協力機構国際協力国際研修所

小西伸幸（2014）「アセアン工学系高等教育ネットワークプロジェクト　フェーズ3　初期活動実績報告書（2013年度及び2014年度上期）」

国際開発ジャーナル社（2006）国際開発ジャーナル2006年9月号

国際開発ジャーナル社（2006）国際開発ジャーナル2006年12月号

国際開発ジャーナル社（2007）国際開発ジャーナル2007年月1月号

JICA（2005）アセアン工学系高等教育ネットワーク中間評価調査報告書

JICA（2007）アセアン工学系高等教育ネットワーク終了時評価調査報告書

JICA（2009）アセアン工学系高等教育ネットワーク・フェーズ2事前評価調査報告書

JICA（2010）アセアン工学系高等教育ネットワーク・フェーズ2中間レビュー調査報告書

JICA・株式会社三菱総合研究所（2011）アセアン工学系高等教育ネットワークプロジェクト産業界・高等教育セクターニーズ調査報告書

アセアン工学系高等教育ネットワークプロジェクト有識者委員会・JICA（2011）アセアン工学系高等教育ネットワークプロジェクト次期事業にかかる提言

JICA（2012）アセアン工学系高等教育ネットワーク・フェーズ2終了時調査報告書

JICA（2013）アセアン工学系高等教育ネットワーク・フェーズ3詳細計画策定調査報告書

JICA（2018）アセアン工学系高等教育ネットワーク・フェーズ3終了時調査報告書

JICA（2018）アセアン工学系高等教育ネットワーク・フェーズ4詳細計画策定調査報告書

AUN/SEED-Net Secretariat (2000) Minutes of the AUN/SEED-Net Preparatory Meeting
AUN/SEED-Net Secretariat (2001) MINUTES OF MEETING AUN/SEED-Net Interim Steering Committee Meeting
AUN/SEED-Net Secretariat (2001) Inauguration Ceremony
AUN/SEED-Net Secretariat (2002) STRETEGY PAPER
AUN/SEED-Net Secretariat (2002) Proceeding of the Workshop on Formulating Field-wise Support System of the AUN/SEED-Net
AUN/SEED-Net Secretariat (2001) Annual Report 2001
AUN/SEED-Net Secretariat (2002) Annual Report 2002
AUN/SEED-Net Secretariat (2003) Annual Report 2003
AUN/SEED-Net Secretariat (2004) Annual Report 2004
AUN/SEED-Net Secretariat (2005) Annual Report 2005
AUN/SEED-Net Secretariat (2006) Annual Report 2006
AUN/SEED-Net Secretariat (2007) Annual Report 2007
AUN/SEED-Net Secretariat (2009) Annual Report 2008/9
AUN/SEED-Net Secretariat (2010) Annual Report 2009/10
AUN/SEED-Net Secretariat (2011) Annual Report 2010/11
AUN/SEED-Net Secretariat (2012) Annual Report 2011/12
AUN/SEED-Net Secretariat (2013) Annual Report 2012/13
AUN/SEED-Net Secretariat (2014) Annual Report 2013/14
AUN/SEED-Net Secretariat (2015) Annual Report 2014/15
AUN/SEED-Net Secretariat (2016) Annual Report 2015/16
AUN/SEED-Net Secretariat (2017) Annual Report 2016/17
AUN/SEED-Net Secretariat (2018) Annual Report 2017/18
AUN/SEED-Net Secretariat (2019) Annual Report 2018/19
AUN/SEED-Net Secretariat (2020) Annual Report 2019/20
AUN/SEED-Net Secretariat (2021) Annual Report 2020/21
AUN/SEED-Net Secretariat (2012) Signing Ceremony of Cooperative Framework of AUN/SEED-Net

略語一覧

AIT　アジア工科大学(Asian Institute of Technology)

AU　アフリカ連合(African Union)

AUN　アセアン大学ネットワーク(ASEAN University Network)

AUN/SEED-Net
　アセアン工学系高等教育ネットワーク(ASEAN University Network/Southeast Asia Engineering Education Development Network)

HEDS　高等教育開発計画(Higher Education Development Support Project in Indonesia)

ITC　カンボジア工科大学(Institute of Technology of Cambodia)

JICA　独立行政法人国際協力機構(Japan International Cooperation Agency)

JSPS　独立行政法人日本学術振興会(Japan Society for the Promotion of Science)

JST　国立研究開発法人科学技術振興機構(Japan Science and Technology Agency)

KMITL　モンクット王工科大学ラカバン校(King Mongkut's Institute of Technology Ladkrabang)

KMUTT モンクット王工科大学トンブリ校(King Mongkut's University of Technology Thonburi)

LBE 研究室中心教育(Lab Based Education)

MBA 経営学修士(Master of Business Administration)

MOT 技術経営(Management of Technology)

ODA 政府開発援助(Official Development Assistance)

PAU 汎アフリカ大学構想(Pan African University)

SATREPS 地球規模課題対応国際科学技術協力プログラム(Science and Technology Research Partnership for Sustainable Development)

TICAD アフリカ開発会議(Tokyo International Conference on African Development)

UGM ガジャマダ大学(Universitas Gadjah Mada)(インドネシア語)

UNIDO 国際連合工業開発機構(United Nations lndustrial Development Organization)

USAID アメリカ合衆国国際開発庁(United States Agency for International Development)

［著者］

小西 伸幸（こにし のぶゆき）

公益財団法人笹川平和財団アジア・イスラム事業グループ長。日本電気株式会社（NEC）人事勤労グループを経て、1995年から独立行政法人国際協力機構（JICA）に勤務。JICAタイ事務所のほか、2度のアセアン工学系高等教育ネットワーク（SEED-Net）派遣JICA専門家（タイ駐在）、人間開発部高等・技術教育課課長、人間開発部次長（計画担当）で高等教育分野の事業実施に携わる。また、アジア第一部、東南アジア・大洋州部にてアセアン事業も担当。2022年４月から現職。東京大学教育学部教育心理学科卒業。大阪府出身。

梅宮 直樹（うめみや なおき）

上智大学グローバル教育センター教授。1997年から独立行政法人国際協力機構（JICA）に勤務。世界銀行交換職員、アセアン工学系高等教育ネットワーク（SEED-Net）派遣JICA専門家（タイ駐在）、マレーシア日本国際工科院派遣JICA専門家（マレーシア駐在）、JICA人間開発部高等·技術教育チーム課長、人間開発部次長（高等教育·社会保障担当）などを経て、2022年より現職（JICAからの出向教員）。ハーバード大学より教育学修士号、東京工業大学より博士号取得。専門分野は、比較国際教育学、国際協力開発論、国際高等教育論。2019年から東京工業大学特定教授を兼務。滋賀県出身。

SEED-Netが紡ぐ
アセアンと日本の連帯

学術ネットワークが織りなす工学系高等教育の基盤

2023年1月21日　第１刷発行

著　者：小西 伸幸、梅宮 直樹

発行所：㈱佐伯コミュニケーションズ　出版事業部
〒151-0051 東京都渋谷区千駄ヶ谷5-29-7
TEL 03-5368-4301
FAX 03-5368-4380

編集・印刷・製本：㈱佐伯コミュニケーションズ

ISBN978-4-910089-28-7　Printed in Japan
落丁・乱丁はお取り替えいたします

JICA プロジェクト・ヒストリー　既刊書

㉜ **人道と開発をつなぐ**
アフリカにおける新しい難民支援のかたち …………………… 花谷 厚

㉛ **ヒマラヤ山麓の人々と共に**
ビャコタ旦那のネパール・ブータン農業協力奔走記 …………………… 冨安 裕一

㉚ **科学技術大学をエジプトに**
砂漠の地で始まる大学造り、紡がれる人々の「物語」 …………………… 岡野 貴誠

㉙ **日・タイ環境協力**
人と人の絆で紡いだ35年 …………………… 福田 宗弘・関 荘一郎・渡辺 靖二

㉘ **バングラデシュIT人材がもたらす日本の地方創生**
協力隊から産官学連携へとつながった新しい国際協力の形 …………………… 狩野 剛

㉗ **未来を拓く学び「いつでも どこでも 誰でも」**
パキスタン・ノンフォーマル教育、0からの出発 …………………… 大橋 知穂

㉖ **マタディ橋ものがたり**
日本の技術でつくられ、コンゴ人に守られる吊橋 …………………… マタディ橋を考える会

㉕ **フィリピン・ミンダナオ平和と開発**
信頼がつなぐ和平の道程 …………………… 落合 直之

㉔ **これで子や孫までスレブレニツァでまた暮らせる。ありがとう。**
ボスニア紛争悲劇の街、復興支援の記録 …………………… 大泉 泰雅

㉓ **スポーツを通じた平和と結束**
南スーダン独立後初の全国スポーツ大会とオリンピック参加の記録 …………………… 古川 光明

㉒ オムニバスヒストリー
パラグアイの発展を支える日本人移住者
大豆輸出世界4位への功績と産業多角化への新たな取組み
…………………… 北中 真人・藤城 一雄・細野 昭雄・伊藤 圭介

㉑ **僕の名前はアリガトウ**
太平洋廃棄物広域協力の航跡 …………………… 天野 史郎

⑳ ヒューマンヒストリー
マダム、これが俺たちのメトロだ!
インドで地下鉄整備に挑む女性土木技術者の奮闘記 …………………… 阿部 玲子

⑲ **屋根もない、家もない、でも、希望を胸に**
フィリピン巨大台風ヨランダからの復興 …………………… 見宮 美早・平林 淳利

⑱ **タイの新しい地平を拓いた挑戦**
東部臨海開発計画とテクノクラート群像 …………………… 下村 恭民

⑰ **クリーンダッカ・プロジェクト**
ゴミ問題への取り組みがもたらした社会変容の記録 …………………… 石井 明男・眞田 明子

⑯ **中米の子どもたちに算数・数学の学力向上を**
教科書開発を通じた国際協力30年の軌跡 …………………… 西方 憲広

⑮ **地方からの国づくり**
自治体間協力にかけた日本とタイの15年間の挑戦……… 平山 修一・永井 史男・木全 洋一郎

⑭ **未来をひらく道**
ネパール・シンズリ道路40年の歴史をたどる ……………………………… 亀井 温子

⑬ **プノンペンの奇跡**
世界を驚かせたカンボジアの水道改革 ……………………… 鈴木 康次郎・桑島 京子

⑫ **いのちの水をバングラデシュに**
砒素（ひそ）がくれた贈りもの ……………………………………………… 川原 一之

⑪ **森は消えてしまうのか？**
エチオピア最後の原生林保全に挑んだ人々の記録（プロジェクト・エスノグラフィー）……………… 松見 靖子

⑩ **ジャカルタ漁港物語**
ともに歩んだ40年 ……………………………………………………… 折下 定夫

⑨ **ぼくらの村からポリオが消えた**
中国・山東省発「科学的現場主義」の国際協力 ……………………………… 岡田 実

⑧ **アフリカ紛争国スーダンの復興にかける**
復興支援1500日の記録……………………………………………… 宍戸 健一

シリーズ全巻のご案内は☞